ゆまに書房 書誌書目シリーズ126

諸字類集成 第二巻

——小山田与清『群書捜索目録』V——

八部字類抄 上・中・下

[監修・解題] 梅田 径

凡例

一、本叢書は、国立国会図書館蔵『群書捜索目録』の中から、比較的小規模な語句・語彙索引八点一七冊を集成したものである。小山田与清編の古典籍索引『群書捜索目録』は、もともと水戸彰考館に所蔵されていた和書・漢籍・仏典の大規模な総合索引叢書であったが、原本は戦災で焼失した。その副本のごく一部が国立国会図書館に納められているに過ぎない。本叢書では、利用しやすいように『群書捜索目録』を再編集して復刻する。

一、本叢書の構成は、末尾に掲載した表の通りである。国立国会図書館では『群書捜索目録』全冊に通番を付しているが、復刻にあたってはその整理順を踏襲していない。

一、復刻に際し、各書の構造を反映した形で目次を付し、書名および見出し語について左の柱に、イロハ順の配列位置を右の柱を付した。各作品の解題は、第九巻の巻末に掲載した。また、書名については外題・扉題・内題より適切なものを選び、復刻上の統一書名とした。ただし、国立国会図書館の付した名称や番号を使用した場合がある。

一、本叢書においては、書名、人名等の漢字は、原則として通行字体に統一し、また人名、書名等も代表的なものに統一を試みた。

一、本書製作にあたっては国立国会図書館の許可のもと、新たに撮影されたデジタル画像を底本に利用した。

一、原本の書誌については解題に記した。字高などに配慮して適宜縮小や画像調整を施した場合がある。朱墨の別は濃度等で判断されうるものについては特に触れていない。

一、復刻の許可を賜った国立国会図書館、また原本の閲覧等で多く便宜を図ってくださった同古典籍資料室に御礼申し上げます。

〈全巻の構成〉

第一回（全五巻）

第一巻　「大八洲記標目」

第二巻　「八部字類抄　上」

「八部字類抄　中」

「八部字類抄　下」

第三巻　「色葉集字類」

「本草和名字類」

第四巻　「家筑三類語　上」

「家筑三類語　中」

「家筑三類語　下」

第五巻　「和名抄類字　上」

「和名抄類字　下」

第二回（全四巻）

第六巻　「令義解目録　一」

「令義解目録　二」

第七巻　「令義解目録　三」

「令義解目録　四」

第八巻　「歌学索引　一」

「歌学索引　二」

第九巻　「歌学索引　三」

＊解　題

第二巻　目次

八部字類抄　上

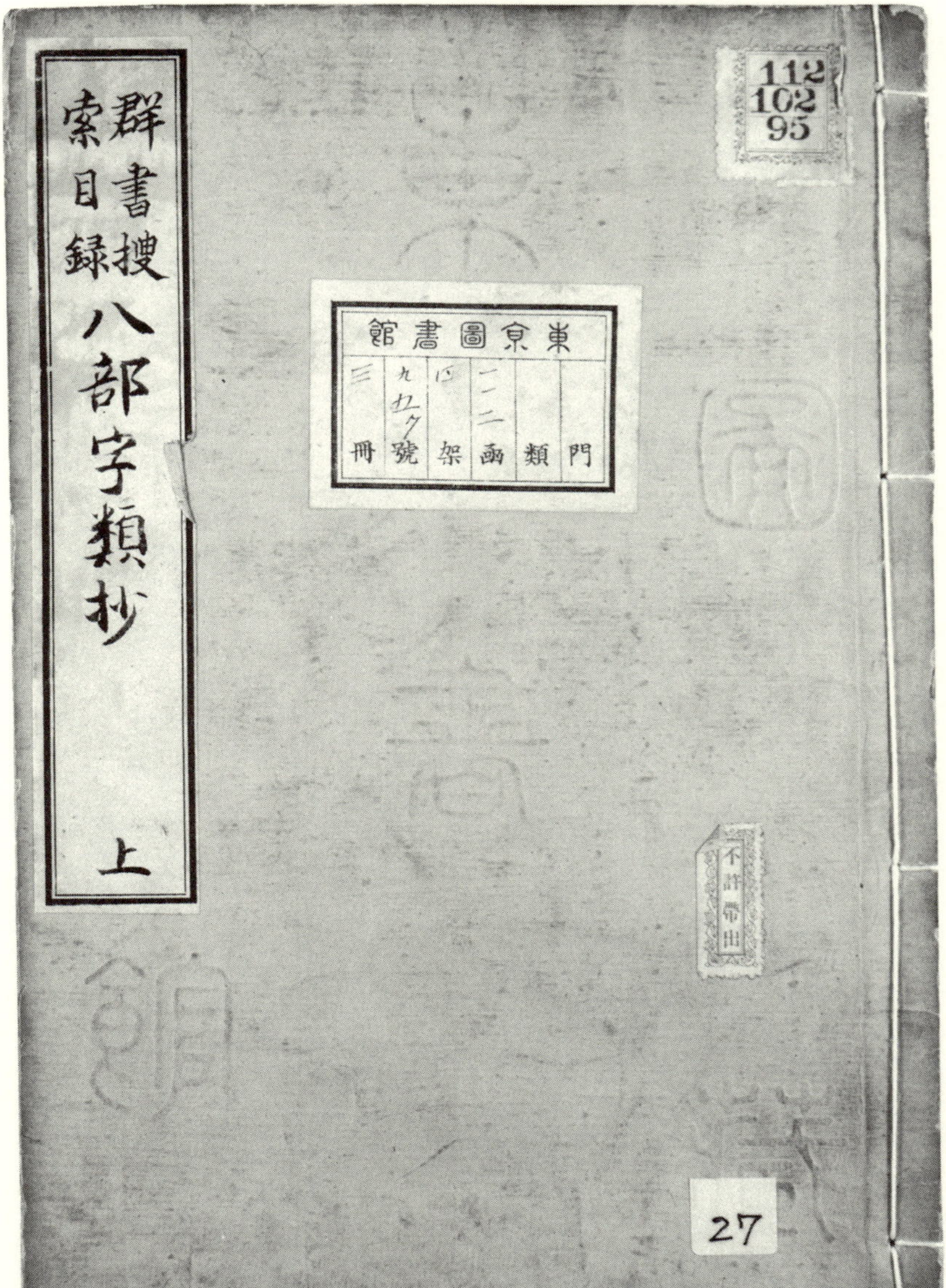
群書捜索目録
八部字類抄
上
112
102
95
東京圖書館
門
類
函
架
號
冊
不許帶出
27

八部字類抄
上
411/25
東京圖書館藏

大　大神宮儀式帳　類從本

佛　佛足石歌　流布印本

古　古語拾遺　類從本

異　日本霊異記　類從本

豊　豊受宮儀式帳　類從本

将　将門記　宝生院本

雜　事太神宮諸雜事記　類從本

熱　熱田太神宮縁起　流布印本

八部字類抄巻上

伊　詞部上

伊波以与佐志給以　大ゝ五ウ

伊波　石之　佛一ウ

齋蔵　イハクラ　古八ウ十ウ十才十一才

磐余　伊波礼　昊上ノ十才

石村　大ゝ五ウ

伊尓志加多知与乃都美　過去千歳之蹤之　佛四ウ

往古　イニシヘ　昊下ノ卅五才

五百枝刺竹田乃國

家主

家室　伊已乃止之

家倉

太　伊止

営造　意東那三

糸一絢

糸先　養出乃｜｜

桃戦

太、四オ

（旲上、十五ウ

旲中、廿オ

（旲上、六ウ

日中、廿二ウ

旲上、十六ウ

旲下、卅九オ

日　十九ウ

旲下、十四オ

豊　卅一オ

豊　廿一オ

将　廿三ウ

伊止比 厕之　佛五オ
櫟ノ木ノ本　豊廿一オ太辛十一ウ
一段拜四段拜　豊ノ廿八ウ
一尺鑿　吴中ノ廿オ
市ノ西ノ門　吴中ノ廿四ウ
市ノ東ノ門　吴中ノ廿四ウ
一任之公廨　将廿一ウ
一ノ鳥居　雑事下ノ二ウ
烱然 移知シルク　吴下ノ廿七オ
熬海鼠　豊廿七ウ

伊利古万留　將五ウ

偪仄《イリコマル》　將五ウ

伊奴留　吴中ノ六オ

集《イル》　將廿七ウ

鑄《イル》　同廿六オ　吴中ノ廿三ウ

伊可奈留夜　佛二オ

伊加豆知雷ゝ　佛五オ

伊加志御世尓佐岐波閇給ハム　太五ウ

盇《イカンゾ》　將十一オ

何作　伊可尓セム　昊中ノ廿三オ
怨怨　イカリハラタツ　将ノ九オ
伊加々世牟　同廿一オ
編ㇾ桴　昊下ノ廿七ウ
盇　イカニヌテ　同廿四ウ
㦽　何可多　同廿八ウ
斑鳩　イカルカ　昊上ノ十三オ
鵤　イカルカ　同十オ
忌籬　同下廿五オ

板机　太ノ四十三ウ　同四十四オ　豊ノ廿五オ同ウ　同廿六オ同ウ

逵　イタル　昊上ノ十九ウ

抱擬　イタテスルカト　将十七ウ

扃　イタル　同十四オ

軫　イタム　昊中ノ廿六オ

板垣　豊ノ四オ太七オ豊ノ三オ

迫　イクル　将ノ廿六オ

板立御馬秣地田　太ノ四十六ウ

伊多利　佛一オ

板垣御門　豐ノ卅一ウ　日卅四、日卅九ウ

伊太志　卅之　佛一ウ

伊都々　五之　日五オ

儼然　イワクシクシテ　灵下ノ十四オ

齋内親王御字修学院阿闍梨　雜事下ノ四十一ウ、

齋内親王川原殿　太八オ

齋女　イツキノヒメミコ　熱十八オ

齋院　イツキドノ　豐四オ

齋王《ミコノ》倭姫命　熱四オ

齋内親王供奉ノ始　雜事上ノ二ウ

齋　移都つイツヽ　旲下ノ廿五オ

幾何　伊つ　同　四十三オ

和泉國海中有楽器之声音　旲下　一ウ

稲舂女　同　六オ

蝗　古ノ十三オ

息　旲中ノ廿七ウ

齋館　大ノ八ノウ　豊ノ四ウ

忌館　豊ノ廿二オ

忌庤
忌手鋅
忌鋅
忌鑢
忌砥一面
忌柱
忌鍛冶内人
忌鋤
忌奈大〻

豐ノ十八ウ
大ノ十一ウ
口十二ウ
豐ノ八オ
大ノ十二ウ　口十三ウ
太六十三ウ
（大ノ十三ウ　日十三ウ
（豐ノ八オ　口九オ
（大ノ十二ウ　口十三ウ
（口廿九オ
大ノ十三ウ
日十二ウ

齋火炊屋　豊ノ四オウ
忌屋殿　雜事下ノ卅四ウ
祈御酒　吴下ノ四十一ウ
禱　イノリミ　吴中ノ十ウ
期魁　イ、　去不　吴上ノ六ウ
幾何　イクバクゾ　吴中ノ廿五オ
異《イ》珍《シ》用《ヨ》伽《カ》称《ネ》芭《フ》流《ル》　熱ノ八オ
督将　イクサノカミ　古ノ六ウ
凱歌　イクサトケラ　熱ノ十四オ

軍　イクサノキミ　將ノ卅三オ

動　伊ヤ可毋○也々乇○曽々土乇寸流去土　呉中ノ卅三オ

卑　イヤシ　將廿七ウ

治　イヤシテ　同　四ノウ

垂　伊万々豆　呉中ノ廿三ウ

伊麻世可　坐乎　佛ノ二オ

伊麻　今之　同　二ウ

生剥　イキハキ　古ノ二オ

伊布　言之　同　四ウ

異國内附之民以萬数　古ノ十オ
慹　伊古不止　旲上ノ廿三オ
慹　イコハス　旲中ノ廿六ウ
酡　イヨリシ　同　一ウ
稀　何阿波計　同　廿三ウ
率　イサ　同　七ウ
躊躇　意左与比天　旲下ノ廿六オ
勇　イサミ　將ノ十一オ
諫　イサム　同　廿五ウ

叱　イサメ　将ノ廿五オ
伊佐　古ノ九オ
甦　イキタリ　昊上ノ十三オ
述氖　イキヨノヘ　将ノすノ十ウ
生之死之捕」雷栖軽之墓　昊上ノ五ウ
忌詞　太ノ五オ
謚　イミナ　将ノ廿二オ
伊志　石く　佛ノ一オ
石疊　太ノ十オ

累レ石為レ塔　旲下ノ廿二ウ

石寺　日　廿二ウ

飯占　日　四十七ウ

爨《イヒカシキテ》　旲　廿二ウ

飯笥　大　廿九オ

伊勢歌　豊　廿四オ　日四十一オ

呂
六把為束
禄
六宗之学頭僧
六巻抄

太ノ四十六オ
日五十八ウ日六十八ウ
昊中ノ廿四オ
昊下ノ廿六ウ

波

羽　大蛇ゝ　古ノ四オ

皮呂可尓　吴上ノ六ウ

篲　皮々支　吴下ノ廿五オ

箒　皮々支　曰　廿五オ

土師雜器　豊ノ廿六ウ

背　の波尓加美　の伊岐々美　吴上ノ六ウ

啄　破弥天　吴下ノ二オ

土師器　太ノ十三オウ　十三オ

土師器 陶器　豊ノ七ウ 九オ

土師器 作物忌　大世七ウ 六十四オ

秡　吴中ノ十ウ

蜂 集鳴　日 廿五ウ

愧《ハリナテ》　将ノ廿九ウ

媿《ハヂ》　日 十九ウ 二十オ

八國　日 二十ウ

八大明神　日 廿六ウ

鉢囊懸肘　吴中ノ廿オ

懃　ハヂ　将ノ廿七ウ

末葉　ハヂエワ　同　二十ウ

榛　波里　吴中ノ四十二オ

針　太ノ廿九ウ豊ノ十二オ

張行　ハリオユナフ　将ノ十ウ

遐　ハルカ　同八オ

嚼齒　ハヲクヒテ　同十二ウ

墓原　吴中ノ廿八オ

剥　皮加之弖　吴上ノ八ウ

儒《ハカヤ》　将ノ廿五ウ
袴　太ノ廿三ウ
不圖《ハカラサル》　将ノ一ウ
着レ袴　吴上ノ十七オ
商量《ハカラヒテ》　吴中ノ卅四ウ
恕　判加利豆　吴下ノ卅五ウ
恕《ハカリ》　吴上ノ廿ウ
秦酒公　古ノ十オ
波陀　秦之　日十オ

秦公祖弓月歸化　古ノ十オ

徴　ハタリテ　旲上ノ十三オ

機　太ノ廿五ウ

斟リ　ハンシクシテ　旲中ノ廿二ウ

脹　波礼多〆留　旲下ノ十九ウ

剥　波ツリ　旲上ノ廿ウ

松脘　ハツリ　旲中ノ廿二ウ

裔　ハツコ　古ノ七オ

八角塔　旲下ノ廿九ウ

八月晦大祓　豊ノ廿六才
波奈礼 離之　佛ノ五才
波奈知 放之　同 一ウ　古ノ二才
腕 波奈知天　呉下 六ウ
賣」花女人　呉中ノ廿九ウ
纒褁 裳衣　太ノ十七才
定祓法　同 五才
花形　同 六才
解除其罪　古ノ四才

胎　博羅無　旲下ノ四十九オ

怨　ハラタツ　将ノ九オ

匍　波良波不　旲上ノ十六オ

解《ハラ》除《ヘ》　太ノ四十二オ

吠　ハム　旲上ノ二ウ

判車錦御被　豊ノ十二ウ

番長　（日廿七オウ太ノ四十八ウ　太ノ四十九ウ日五十二オ

宝殿　（雑事上ノ十五ウ十六ウ十七ウ日下ノ六ウ八ウ十ウ　太ノ六オ十七ウ　豊ノ二ウ　三オ

宝殿物十九種　太ノ十七ウ

宝殿御幌　豊ノ十四ウ

放生ス　旻中ノ十七ウ
宝亀元年　旻下ノ四十三オ
帛御巾　太ノ十七オ
帛絁御巾　豊ノ十三オ
帛御絲　太ノ十七オ
帛御意須比　太ノ十七オ
帛御被　豊ノ十二ウ　太ノ十六ウ
帛御衣　太ノ十七オ
帛御裳　豊ノ十三オ　太ノ廿三オ

帛単御裳　太ノ十七オ

帛絶忍比　豊ノ十三オ

白銅水瓶一口　旲下ノ四ウ

白衣　旲上ノ廿三オ　同中ノ廿三ウ

波夜　熱ノ十四ウ

蛤　旲中ノ八オ

波氣《ハケ》　熱ノ十三ウ

祝部　太ノ卅六オ　熱ノ廿一オ

祝　熱ノ卅ウ

翥 波不利 。加介利伊久　旲上ノ十六オ

放生業　旲中ノ九オ

踊構 ハサマリテ　旲上ノ五ウ

波佐布　太ノ廿七ウ廿八ウ卌オウ

髆 波支手　旲中ノ十六ウ

剥 ハギ　古ノ二オ

椅下 波止　旲中ノ卅一ウ

波志　太ノ卅七ウ卅八ウ卅九ウ

柱　豊ノ八オ

著拑　太ノ四十ウ

堊皮比之　吴下ノ廿五オ

塚皮比夜　吴下ノ廿六オ

丈部ハセベ　将ノ十ウ

仁

庭造工　豊ノ十一オ　太ノ十五オ

庭燎《ニハビ》　古ノ三ウ

乍《ニハカ》　将ノ十七ウ

日本國現報善悪霊異記 作上中下三巻　霊上ノ二オ

贄《ニヘ》　大ノ四十ウ　四十六オ

逃《ニガサム》　将ノ六オ

女孺侍殿　豊ノ三オ

呻《ニヨフ》　霊中ノ廿七ウ

女人ノ流浪ハ返本　将ノ廿八オ
屬者法式之例

眦　ニラム　呉中ノ七ウ
睚　ニラム　日十ウ　日上ノ六ウ
憎　ニクミ　呉下ノ四十三オ
肉團　日廿一ウ
薴　尓ロ　呉中ノ廿五オ
齝齣　尓介可無　呉下ノ卅オ
柔　ニコヤカニ　呉中ノ卅三オ
嘿然　耳古耳奈利　呉中ノ十六ウ

柔儒如ニ練糸綿ニ　呉中ノ廿二オ
尓伎多倍　和衣之　古ノ三オ
海藻根　豊ノ廿七ウ
尓伎弖　和幣之　古ノ二ウ
和幣　ニキテ　古ノ二ウ
抱　ニギリ　將ノ十ウ
電　尓シ　呉上ノ十三オ
錦被　太ノ十六ウ
錦御枕　太ノ十七ウ

錦襪　豊ノ十三オ

錦御襪　太ノ十七オ

錦御裳　日　廿三オ

錦御沓　豊ノ十三オ　太ノ十七オ

荷　ニモツ　旲上ノ八ウ

保

保呂夫　滅之　佛ノ四ウ

殞　ホロヒテ　将ノ卅二オ

耗　ホロビス　日　廿一オ

尒　ホヽロミ　日　三ウ

保止氣　佛之　佛ノ三オ

佛ノ銅像　昊中ノ廿六ウ

播　保度許須　昊下ノ卅八オ

保止岐　太ノ卅七ウ卅八オウ

缶　太ノ四十オウ
程《ホド》　旲下ノ十七ウ
堀　将ノ十ウ
穗藁三束　旲中ノ四十三オ
廓《ホガラカ》　旲上ノ十九ウ
慌《ホンテ》　旲上ノ五ウ
細布　太ノ廿四オ
細布御中　豊ノ十三オ　太ノ十七オ
細布御帳　太ノ十六オ

細疊　旲中ノ卅二オ

冨曽多和夜　熱十ウ

冨曽多知夜　同十ウ

噬レ臍《ホソヲカム》　將ノ卅三ウ

本所　雑事上ノ二オ同四十一ウ

讐　保年　旲上ノ二ウ

焔《ホムラ》・　旲中ノ廿二ウ

側　保乃可　旲下ノ十六ウ旲上ノ二ウ

法名曰慈氏禅定堂　旲下ノ十九ウ

法臣　旲下ノ四十二ウ

法皇　日　四十二ウ

矛盾　古ノ三オ

鉾　大ノ十一ウ　豊ノ八オ

戲　本ノマヽ　保巳　旲下ノ十三オ

斧鉞　ホコ　熱ノ二ウ

嗥吠　保由　旲上ノ六ウ

美　保三遠　旲下ノ四十九オ

干飯　旲中ノ卅九オ　日下ノ四ウ

干飯粉

旲下ノ五オ

邉

戸へ　太ノ廿七ウ　廿八オウ

幣帛　吴中ノ十七ウ　日上ノ五オ

幣殿　太ノ七オ

幣帛殿　豊ノ二ウ　太ノ廿一ウ

執幣火長　雜事下ノ九ウ

戸坏　戸具之　太ノ六オ

別宮　雜事上ノ四十四オ　日下六オ

別院　吴上ノ七オ

辨官　口宣　古ノ十三オ

作ニ男莖形」　日　十三ウ

男莖　ヘノコ　日　十三ウ

儻　戸年良　昊下ノ廿七ウ

閑美　蛇之　佛ノ五オ

虵子白凝　昊中ノ四十三オ

虵繞」屋　日　十八オ

挫　幣師　昊下ノ四十オ

閑志　可之　佛ノ五オ

析　部之天
○和加知天

戸人

吴下ノ二オ
豊ノ廿七オウ　太ノ十四ウ
太ノ十二オ

止

砥一面　太ノ六十三ウ

止伊布　吴中ノ六オ

愰　豊ノ十四ウ

愰帳　大ノ十六オ

戸帳　太ノ廿三ウ　廿五ノウ

徹《トホル》　将ノ十五オ

登保志　古ノ九オ

止保志ゝ　熱ノ十一ウ

通　トホシテ　昊下ノ十一オ

慗　トゝノヘ　将ノ四ウ

止々侶　太ノ五十六ウ

有椅　土知乃木　昊中ノ卅一ウ

挫　止利比多支利　昊上ノ十三オ

鷄子　昊中ノ十六ウ

囚　止利阿倍天岐　同　廿八オ

鳥子名　豊一ノ廿五ウ廿六オ　太ノ四十四オ

鳥居　雑事下ノ十五ウ十六ウ

鳥名子男女　雑事下ノ四ウ

取合 争之　同上ノ廿四オ

苫鳩《ヲ》伽《カ》　熱ノ八オ

鈇 止加　奚下ノ廿三オ

豊聡耳　奚上ノ九オ

宴楽 トヨノアカリ　古ノ九オ

豊ノ明　雑事下ノ十一ウ同五十二オ

典 止礼而　奚下ノ廿七ウ

十拳剣　熱ノ十七ウ

十握剱　古ノ四オ

刀祢　太ノ五十八オ　六十八オ／豊ノ廿五ウ　廿六オ　廿七オ

賛《止良》　昊中ノ一ウ

掠《トラレタル》　将ノ廿二ウ

拘《トラヘ》　日　廿七ウ

橙盖覆　昊上ノ七ウ

燈臺　太ノ十五オ

燈塔柱　昊上ノ廿六ウ

宿直屋　豊ノ三オ

宿直人　太ノ四十八ウ四十九ウ五十二オ

厳祭　古ノ十二オ

宿衛屋　太ノ六ウ

督領　日四十五オ

髑髏笋生ニ目穴而所串　昊下ノ廿ウ

得度出家　昊上ノ八ウ

床之端　昊中ノ廿二オ

床　豊ノ十二オ

床張　太ノ廿四オ

床ノ守り　熱ノ十二ウ

登古止波尓　日　廿三オ

止己止婆　常磐也　佛ノ三オ

常世國　古ノ四ウ

常闇　トコヤミ　日　二ウ

止己呂　所々　佛ノ一オ

地《トコ》祭物忌　太ノ十三オウ廿六オ六十三ウ

何往何来　ドコニカユキドコヨリカキ タリテノ　将ノ廿四ウ

止許佐留良牟也　熱ノ十二オ

登許能倍　日十四ウ　廿二ウ

常石　太ノ五ウ

常磐石堅磐石　豊ノ十七ウ

銘　止文　昊上ノ十三オ

瞀　止未　昊中ノ廿五オ

綾　止之呂支　昊下ノ四十一ウ

止志比佐尓　熱ノ十一オ

家室　刀自　昊中ノ廿二ウ

止志　熱　十一オ

刀自女　豊ノ十九ウ　廿ウ　廿二ウ

越レ年　雑事上ノ四十一ウ

祀頌　止之古呂　旲下ノ二才

年米春　旲上ノ六才

閫　止自支祢　旲中ノ廿四ウ

聡　トシ　旲上ノ十才

鄙　止比奈留　旲下ノ廿九才

鄙　止比止奈留　旲上ノ二ウ

諸見　トヒナシリ　旲下ノ十八才

僎従　トモビト　熟ノ九ウ

蔵部　トモノミヤツコ　○クラムドベ　古ノ十オウ

燈提　豊ノ十一ウ

勝部　トモノミヤツコ　古ノ十才

止毛志作　纂之　古ノ三ウ

止毛加羅　筆之　佛ノ三ウ

流　トキカラ　昊下ノ二才

儔　止毛加良　昊上ノ二ウ

伴　トモナヘリ　將ノ十八ウ

燭　トモシビ

燃レ燈

旲上ノ二ウ

旲下ノ九オ

知

知々波々　佛ノ一オ

地鎮料　豊ノ七オ

智努王　佛ノ十ウ

迩　チカク　将ノ八オ

傭賃　チカラ豆玖乃比　昊下ノ廿八ウ

幾　チカ　将ノ十八ウ

附レ力ヲ　将十ウ

盟　知可比天　昊下ノ六ウ

誓酒　昊下ノ四十一オ

知乎　千代之　佛ノ四ウ

鎮魂之儀　古ノ十二ウ

千座置戸　円四オ

長上番長　太ノ四十八ウ四十九ウ五十二オ

長上　豊ノ廿七オウ

廳《チヤウ》　日四オ

丈六ノ佛　昊中ノ卅二ウ

巷陌《知末多》　昊下十五ウ

岐　知万多　昊上ノ二ウ

妳房《チブサ》　同　廿五オ

知《ナ》疑《キ》高知弖　豊ノ二ウ

榑風　太ノ六オ

中　析櫝　同四十三ウ四十四ウ

中　番下番　同四十八ウ四十九ウ廿六オウ

中　錐　同四十オ

中　机　同四十三ウ

中　析櫝　豊ノ廿五ウ　廿六オウ

中男　昊中ノ十五ウ

中國　古ノ四ウ五ウ

紬子　大ヽノ十六ウ

重々御垣门　雑事上ノ十五ウ十六ウ

重斤　昊下ノ廿四ウ

知寺僧　昊中ノ卅七オ

小子部ノ栖軽　昊上ノ四ウ

利
両面覆横

力王

太ノ廿三ウ
昊上ノ七オ

奴

抜穂　太ノ五十二オ　六十五ウ

抜穂乃御田稲　豊ノ六オ　十六ウ

糠《ヌカ》　昊上ノ二ウ

奴佐麻　太ノ四十一ウ

緯《ヌキ》　将ノ廿四ウ

蹐《ヌキアシ》　日　廿三オ

奴志　主ゝ　佛ノ四ウ

縫《ヌヒ乃》　昊上ノ十五オ

留

瑠璃塵函《ハタル》《ハコカ》

将ノサ才

遠

麻《ヲ》　昊下ノ六オ

繋《チ》　同　十七ウ

鴟《ヲ》　熱ノ八オ

大蛇《ヲロチ》　同　十三オ

尾張氏　同　廿ウ

尾張氏神　同　廿一オ

尾張國造　同　廿一オ

尾張大印岐《オホイニキ》　同　廿一オ

姑　乎波　昊中ノ廿七ウ

乎閑牟　将終く　佛ノ四オ

八部字類抄　上

姑 牟皮　　　　　　　　　　　　　吳中ノ廿七ウ

乎闕年 将終ク　　　　　　　　　　佛ノ卯牙

男衣女衣　豊ノ十四オ

男彌之調　古ノ九オ

乎《ヲ》止《ト》與《ヨ》ノ余　熟ノ廿一オ

壮　乎止古　昊中ノ卅九ウ

男衣　太ノ十八オ

遠《ヲ》登《ト》賣《メ》　熟ノ十四ウ

彼方　ヲチカタ　将ノ八ウ

乎遅奈伎　懦弱　併ノ三ウ

折櫃　太ノ廿九オ　豊ノ廿六ウ
　　　太ノ四十三ウ　四十四ウ

脚　昊上ノ十三オ

幸　円　三オ

小峡　古ノ三オ

推詰　熱ノ二ウ

女衣　豊ノ十四オ　太ノ十八オ

女乎末之調　古ノ九オ

嬢《ヲヽナ》　昊中ノ廿九ウ

錺り　（太ノ四十オ 豊七ウ 八オ 十オ
鏁 乎乃古夜母　昊中ノ廿二ウ
尾《ヲ》八岐《ヤマタノ》天蛇　熱十六ウ
筒 乎介　昊下ノ廿二ウ
麻筒二合　太ノ十八オ
桶　日廿四ウ 日廿五ウ
納綿　日十六オ
修《ヲサムル》　将ノ十三オ
譯語 乎佐　昊上ノ八オ

御　乎佐女多比之ヽ　旲上ノ二ウ

他田《ヲサ》ノ真樹　将ノ十四オ

蘆　遠支　旲下ノ廿一ウ

孃　乎弥奈　(旲上ノ六ウ
旲下ノ廿オ　四十九オ

食國　乎邸志　旲下ノ四十三ウ

雄鹿　遠斯賀ヽ　日　四十七オ

胥　ヲヒエ　旲上ノ六ウ

國司　乎主良　旲中ノ廿三オ

和

蘤 和　（昊上ノ八ウ　昊中ノ世三オ

分別 ワイダメ　古ノ八ウ

不分 ワイダメナシ　同　二ウ

判車錦　豊ノ十二ウ

和我世 我せく　佛ノ四オ

和可古 稚子こ　古ノ二オ

機 ワヤツリ　昊下ノ十六ウオ

和我戸　昊上ノ六ウ

和賀於保岐美　熱ノ廿二ウ

若菜　正月七日菜羹トアリ　豊ノ廿七ウ

和《ワ》何《カ》祁《ケ》勢《セ》流《ル》　熱ノ十一オ

私之堂　昊下ノ十九ウ

私之寺　日　廿二オ

渉　ワタス　將ノ十オ

和多良部年加毛　熱　十一ウ

和多志　済度之　佛ノ一ウ

和礼　我之　日　一ウ

言　和礼　旲下二オ

吾ゞ是智人行基ゞ是沙弥　旲中ノ十一ウ

和例許年止　熱十二オ

嗤《ワラフ》　旲上ノ三オ

童　和良波部　旲下ノ卅三オ

倭語　旲上ノ廿八オ

和期《ワゴ》意冨岐美《オホキミ》　熱ノ十五オ

俳優《ワザヨキ》　古ノ三ウ

和伎毛古　熱ノ十一オ

挾《ワキバサム》　将ノ十六オ

鷲噉残　旲上ノ十五ウ

和比志止　将ノ廿八オ

佗傺《ワビテ》　旲中ノ七ウ

佗人《ワビヽト》　将ノ十九オ

加

華鞦
氏姓《カハネ》
蒲立薦
皮作胡録
代《カハル》
河辺法師
厠
皮筥

太ノ十八オ
古ノ六ウ
太ノ六十三オ
日廿三オ
将廿九ウ
旲上ノ十三ウ
熱ノ十二オ
旲下ノ十三ウ

鬲　加波　呉上ノ廿ウ

皮櫝　呉中ノ四十四ウ

澡浴　加波阿弥豆　呉上ノ十五オ

蠏目釘　太ノ六オ

蠏取レ八而将燒食　呉中ノ十七ウ

容《カホ》　日十八ウ　廿六オ

姿《カホ》　呉上ノ廿三オ

壁代　豊ノ五ウ

壁代生絶帷　日十二オ　十四ウ

壁代生絶御帳　大ノ十六オ

蝦蟆ノ子　昊中ノ四十三オ

楓樹一株　熱ノ十八ウ

顧ラク　将ノ十二ウ

覆カヘ爪　昊中ノ卅八オ

諾加ヘ奈利　昊上ノ十三オ

壁户　同　十九ウ

粉䪥カヘレリ　同　十三オ

門帳　大ノ十七ウ

门祭　古ノ十二オ

门張帳　太ノ廿五オ

鍜冶長上　同　十五オ

穀木　古ノ二ウ

首途《カトテ》　将ノ十四ウ

鍜《カヂスル》　吴中ノ廿七ウ

糧　可里豆　吴下ノ五ウ

泛尓　加利佐万奈留　同　二オ

假殿　雑筆上ノ十五ウ同下ノ十二ウ

鍜冶内人　太ノ十一ウ十二ウ廿九オ

挂　カヽリテ　吴上ノ廿八ウ

曲屈　可さ末り那可良　吴下ノ十三オ

炫　カヽヤケリ　吴上ノ五ウ

覚《カ》、賀《ノ》烏　熱ノ九ウ

伽《カ》餓《カ》奈《ナ》倍《ヘ》弖《テ》　同八オ

鏡囊　色緋之　太ノ廿三オ

融　カヨフ　将十ウ

融　カヨヒ　吴上ノ十九ウ

楷模　加多岐　旲中ノ十五ウ

庀岸　雜事下ノ五十一ウ

乞匂　カタヰ　つ保世比止　旲上ノ十オ

傴　加多奈和　旲下ノ廿三オ

乞匂人　旲上ノ九オ

誠　同　廿四オ

奸　旲中ノ六ウ

添　同　一ウ　十八ウ

旲上ノ廿三オ

忝　将ノ七オ

讎カタキ　将ノ九オ
片耳　昊上ノ十四ウ
傾カタム　将ノ十一オ
傾カタフケシモ　昊中ノ十八ウ
償伽知波比　昊上ノ十三オ
惟　太ノ廿三ウ豊ノ十二オ
加多知形相之　佛ノ一オ
堅石尓常石尓　太ノ五ウ
片佐良　太ノ卅八オウ

片巫肱巫　古ノ十三オ

加多　佛ノ四ウ

賀多久難く　佛ノ五オ

餉《可礼意比》　旲下ノ卅一ウ

父母《カゾイロハ》　古一ウ

堅魚木　（雜事下ノ一オ　太ノ六オウ七オ

臥堅魚木　太ノ六ウ七オ

堅魚　豊ノ卅七ウ

蔓木綿　太ノ十九オ

縵《カツラ》　昊上ノ五ウ
蘰　太ノ五十一ウ
葛ヲ為レ縄　昊下ノ十六オ
葛ヲ為レ籠　同　十六オ
葛縄ノ籠　同　十六オ
鐘堂　昊上ノ　七ウ
金杖　同　七オ
鉦　将　一オ
銃　昊中ノ卅九オ

鼎

彼方此方

栬《カナ》

鋺《カナマリ》

鉇

加良須

鳥ノ卵

雁

鳥作巣ニ産児

熱ノ一ウ

具下ノ十二ウ

日四十七オ

具中ノ十九ウ

太ノ十二ウ四十オ

具中ノ六オ

日十五ウ

(太ノ廿七ウ廿八ウ

具上ノ六オ

具中ノ五ウ

烏扇　古ノ十三ウ

酷　カラク　将ノ十九ウ

酷怨　カラキウラミ　日　八オ

辛櫝　太ノ十五オウ

辛櫃　豊ノ十一ウ

神官頭　今神祇伯也　古ノ十ウ

神戸　太ノ十ウ　雑事上ノ一オ
太ノ三オウ　豊ノ六ウ

神戸荷前物　同六十二オ

神御衣祭　四月也　雑事下ノ五オ

神物《カミタカラ》　古ノ八オ

神服織神麻績内人戸人　太ノ十四ウ

神主之姓　雑事上ノ廿八ウ

神地神戸《カムトコロカムベ》　古ノ九オウ

神剱《カンツルキ》　熱ノ二オ

神野親王　旲下ノ四十八オ

神麻績　大ノ十四ウ

神嘗祭　豊ノ六オ

神司人　旲上ノ五オ

神主　熱ノ廿一オ

神庤《カムタチ》　太ノ四十五オ

神風伊勢國　太ノ三ウ

金鷲菩薩　旲中ノ廿六ウ

槧《カム》　将廿五オ

交易土師雜器　豊ノ廿六ウ

校首髮及手足爪以贖之　古ノ四オ

絓丁　旲下ノ卅八ウ

蚊ノ音　日　十六オ

学頭　吴中ノ卅四オ
懕《カツレ》　吴中ノ卅一オ
匿《カクサン》　将ノ廿七ウ
匿《カクル》　同　十六オ
尻《カクレ》　古ノ五ウ
翳《カクレヌ》　吴上ノ十三ウ
宥《カツシ》　同　廿八ウ
作是《カクスルヲ》　吴中ノ卅三オ
恪慬　将ノ十五ウ

蚊屋　（太ノ十六オ　廿二ウ　廿四オ　廿五オ）

蚊屋帷　豊ノ十二ウ

蚊屋帳　同十三ウ

構　カマヘ　将七ウ

巧　カマヘ　日十七ウ

鎌　（太ノ十三オ　豊ノ七ウ　八オ　九ウ）

薪　カマギ　豊ノ十九オ

竃木　カマギ　太ノ四十九オ

竃戸　（昊中ノ卅九オ　太ノ卅八オ）

竈輪占　古ノ十三オ

諠譁　ウマニスし　将ノ九ウ

蒲鞆　カマノユギ　太ノ十八オ

掛　カケハゲテ　将ノ十オ

翔　カケル　昊中ノ一ウ

甲《カフ》纈《ケチ》　太ノ廿三ウ

鬻　加不留二　昊下ノ廿一オ

餝　カフ　昊中ノ卅七ウ

圍　カコム　将ノ十七オ

圍《カコミ》

蓋

檀《カサリテ》

笠

笠縫

加佐祢

垣帳

堅磐石

搴《可岐阿ケテ》

将ノ七ウ

豊ノ十三オ
太ノ廿三オ

昊中ノ十五ウ

豊ノ十三オ十五オ
古ノ三オ

太ノ卌一オ　五十三オ

熱ノ十一オ

太ノ十六オ

豊ノ十七ウ

昊中ノ十六ウ

抓　可支天　旲下ノ六ウ

蠣《カキ》十具　旲中ノ廿一ウ廿二ウ

蘿　カ岐　（旲中ノ十六ウ
豊ノ四ウ　五オ

鎰　太ノ六オ

限り　将ノ十一ウ

柿鳩之樹　旲上ノ十五ウ

炊屋　豊ノ四オウ

粥　正月十五日　豊ノ廿七ウ

毬　太ノ四十オ

嗌 カミ　旲下ノ廿一オ

神歛　熱ノ四ウ 十六オ

賀美能ノ天皇　旲下ノ四十八ウ

嚼 可弥　旲中ノ十七オ

督 カミ　将ノ卅二ウ

ト者 可三那支　旲下ノ卅五オ

神鏑　将ノ廿七オ

加美結紫糸　太ノ十七オ

霹靂 可美止支乃　旲上ノ十三オ

神御田神戸　太ノ三オウ

崇　カシツキ　古ノ四ウ

炊　カシカサルヽ　旲下ノ四十七オ

隈　加シヒシ　同　四十三ウ

膳夫　カシハテ　熱ノ四オ

臂　可比那　旲下ノ廿ウ

殼　可比古　同　廿二ウ

峽　カヒ　古ノ三オ

臂　加悲難　旲下ノ四十七オ

迦比　熱ノ十ウ

何比那　日　十ウ

節　昊中ノ七ウ

養虫乃糸先　豊ノ卅一オ

蚕織之源起ニ於テ神代ー　古ノ二ウ

可毛　哉く　佛ノ一オ

掃守《カンモリ》　古ノ六ウ

蟹守《カンモリ》　日　六ウ

加世比二枚　太ノ十八オ

桛　　太ノ廿四ウ　廿五ウ

挊《カセヒ》

風之便《タヨリ》舟《ニ》　　將ノ廿八オ

掠《カスメ》　　同　十九オ

與

与せく　俳ノ三オ

与呂豆　同　一ウ

鉀《ヨロヒ》　炅下ノ十三オ

与呂志茂　古ノ九オ

怡《ヨロコブ》　将ノ三ウ

与呂古布　同　三ウ

万幡秋津姫御形　大ノ二オ

齢《与ハヒ》　炅下ノ十九ウ

佁儗　与波不　旲中ノ卅八オ

用《ヨ》拜《ミ》波《ハ》虚《コ》々《コ》能用《ヨ》　熱ノ八オ

寢殿　ヨドノ　日　十二オ

四度之公文　将ノ廿一ウ

四度拜手四段拍　太ノ五十六オ

攀　ヨヂテ　旲中ノ一ウ

与《ヨ》利《リ》祢《ナ》年《ン》止《ト》　熱ノ十一オ

資　ヨル　将ノ二ウ四オ

四段拜　太ノ五十ウ

与曽保比　佛ノ四ウ

儀《ヨソホヒ》　古ノ五ウ

卌尓《ヨソニ》乎毛《テキ》　将ノサ八オ

四壁　昊工ノ十九ウ

与都乃渕美　四蛇之　佛ノ五オ

米占　古ノ十三オ

庸布　豊ノ七オウ

克　ヨク　将ノ卅三オ

与己倍　太ノ卅七ウ

与佐志給 比　太ノ五ウ

祥 与支シ留之　昊下ノ廿二ウ

甘詞 ヨキコトバ　将ノ卅オ

吉玉磯著　昊下ノ四十二ウ

餝饌 ヨキクラヒモノ　昊中ノ廿二ウ

饌 ヨキクヒモノ　昊上ノ十八ウ

与伎比止 善人之　佛一ノウ

佳 ヨシ　昊上ノ十ウ

逢 五月五日ー　豊ノ卅ウ 太ノ五十三ウ

四毛比　豊ノ六オ
与須我良　古ノ九オ
与須我良奈礼利　世資ノ　俳五オ
四角　豊ノ十五オ

太ゝ

多 田之　佛ノ五オ

大嘗由紀主基宮　古ノ十二オ

大半亇　太ゝノ六十二ウ

大唐國　佛ノ九ウ

太ゝ神宮御杖代　太ゝノ三オ

太ゝ神宮駅使鈴口塞　日二ウ

大亇　〔日六十二ウ
旲下ノ廿九オ〕

太ゝ神宮政印始　雑事上ノ七ウ十一ウ
神宮印同廿五オ

太子有三名　呉上ノ八ウ
大修多羅供銭世貫　呉下ノ七オ
太音　同　卅オ
大徳親王　同　四十七ウ
大僧正　呉上ノ十二オ
大底　将ノ廿一オ
大修多羅供銭　呉中ノ卅三ウ
大國師　呉下ノ廿二オ
大升　同　廿九オ

大蛇飲乎大蝦　昊中ノ十四オ

議　タバカル　将ノ十八オ

測　多波加り　昊上ノ　二ウ

俵稲　昊下ノ十一ウ

多倍　古ノ三オ

太倍　タヘ　豊ノ廿七ウ

縦　タトヒ　将ノ廿四ウ

躊躇　多千意左与比天　昊下ノ廿六オ

多知　熱ノ十四ウ　廿二ウ

太刀　太ノ廿三ウ

手力雄神御形　丶　日　二オ

然《タチマチ》　将ノ廿二ウ

横刀　昊中ノ七オ　太ノ十八オ

立巡《クチメグル》　将廿一オ

多知波気麻斯遠　熱ノ十三ウ

倏《タチマチニ》　昊中ノ十七オ

立削　太ノ十二ウ　十四オ

立削鉇ノ　豊ノ八オ　十オ

庤《タチ》　館〻　太ノ四十五オ　豊ノ十八ウ

多知　立〻　佛ノ二オ

乗法師　昊下ノ四十二オ

迭《タカヒ》　将ノ十七オ

多加倍奈麻志　熱ノ廿三オ

高机　豊ノ廿六ウ　太ノ卅四ウ

天位《タカミクラ井》　古ノ八オ

高佐良　太ノ卅八オウ

多賀美武須比　古ノ一ウ

高天原　豊ノ二オ　太ノ四十二ウ

高天原ホ搏風高之利天　古ノ七オ

高天原ホ知疑高知弖　豊二ウ

田耕歌弖田儛　大ノ五十一ウ

遆タカヒこ　吴中ノ六ウ

鷹前之鵃　将ノ廿一ウ

鷹鳥鵟　吴中ノ四十二ウ

多加比加流　熱ノ十一オ

高檝　太ノ廿五ウ

陁我ノ大神ト題名セル猴　旲下ノ廿七オ

錠　多々加尓　旲中ノ廿七ウ

閣　多加度野　同　廿七ウ

頼　タヨリ　将ノ廿八オ

叩　タヽキテ　旲中ノ廿八オ　旲下ノ廿ウ

戦　タヽカヒ　将ノ卅一オ

多太　直之　佛ノ二オ

称詞　タヽヘコト　古ノ三ウ

多々倍申　太ノ四十二ウ

偉 タヾ波シク 〔旲上ノ五ウ 旲中ノ卅一オ
澁 多々与比 旲下ノ廿八ウ
絡 鉄 タヽリ 太ノ卅四オ廿五ウ
揣 タヽリ 太ノ十八オ
絑 タヽリ 太ノ十七オ
踋 躅 タヽスミ玉フ 熱ノ五オ
多《タ》陀《タ》尓《ニ》牟《ム》迦《カ》幣《ヘ》流《ル》 日十三ウ
直ミ向ヘル 旲下ノ四十三オ
崇 タヽリ 旲中ノ十ウ

擕　太ッ左波リ　昊上ノ廿八ウ
農夫　々ツクルヲ　同　八ウ
推　タツ子　昊下ノ六オ
立義銛　太ノ四十オ
多豆祢　尋之　佛ノ二ウ
種継卿死亡　昊下ノ四十三ウ
短籍〻法　昊中ノ卅三ウ
短籍　同　卅三ウ
短手一段　太ノ五十八オ　六十八オ

短手一段柏　豊ノ廿八オウ

短手二段柏一段　大ノ五十ウ

橿越　旲ノ卅三オ

轟崛　将ノ一オ

道場法師　(旲上ノ八ウ　旲中ノ八オ
(旲中ノ卅二オ

道鏡法師與皇后同枕交通　旲下ノ四十二ウ

道鏡法師以為法皇　旲上ノ四十二ウ

道登者元興寺沙门　旲上ノ十七ウ

道昭法師　旲上ノ廿三ウ

多乃志美　大ヽノ五十六ウ

多乃志　古ノ四オ

憑　タノミニテ　将ノ卅三オ

無頼　タノモシゲナシ　熱ノ二ウ

巾　太乃巳比　〔昊下ノ十五ウ大ヽノ十七オ
豊ノ十三オ〕

多乃之ク　将ノ廿九オ

快挽　タノシクヒカレ　日　廿九オ

猛　タクミ　日　廿九オ

多昊覇利　昊也　佛ノ五ウ

多久佐　手草之　古ノ三オ
甘　太〻久万之比　旲下ノ二オ
蓄　タクハフ　旲下ノ卅四ウ
怏　タクマシク　旲中ノ十九ウ
攅攅　タクミ　旲上ノ八ウ
輙　タヤスク　将ノ十六オ
偶　多真佐可尓　旲中ノ廿五オ
多万妓留　旲上ノ六ウ
邂逅　タマサカ　（旲上ノ十六オ　旲中ノ四十二オ

田儛

簾《タマノスダレ》

玉串

環《タマキ》

多麻波奈　賜ゝ

玉纏横刀

玉岐波流磯宮

玉串大内人

玉垣

(太ノ五十一ウ
豊ノ廿一ウ　同廿九ウ

旲下ノ十三オ

(太ノ十九オ　同四十二ウ　豊ノ十四オウ
太ノ五十二ウ　雑事上ノ四五ウ　下ノ十一ウ十三オ

旲上ノ十三オ

佛一ウ

太ノ十八オ

太ノ四オ

雑事上ノ二オ

(豊ノ三オ五ウ卅九ウ太ノ六ウ七オ
雑事上ノ十九ウ卅三ウ四十五ウ

玉垣御门　豊ノ卅三オ四十オ

玉垣御门帳　大ノ十七ウ

玉串御门　日廿オ

多麻乃与曽保比　佛ノ四ウ

多麻　玉〻　日一ウ

玉串御门帳　大ノ十七ウ

猛　タケキ　將ノ八オ

建稲種公　熱ノ三ウ

蹲　太〻布礼奴　昊中ノ十六ウ

顛沛　太不礼ミ　旲上ノ廿オ

多布刀久　佛ノ二オ

手輿　太ノ五十六ウ　六十六ウ／豊ノ卅二ウ　廿九ウ

立髪　馬ーー　太ノ廿三オ　廿四オ

経　タテ　将ノ廿四ウ

蓼ノ　タデ　旲下ノ十四ウ

頭髻《タキフワ》蔵レ前ヲ　熱ノ三オ

瀧祭物忌　太ノ卅七オ

多米　為之　佛ノ一オ

慥 タシカ　將ノ七ウ 十ウ 廿四ウ

旅脚 タビノアシ　日七ウ

礫 タヒイシ　昊中ノ廿三ウ

崐礫 タヒイシ　昊上ノ三オ

田蛭　大ノ四ウ

手繈 タスキ　百ノ三オ

手次 タスキ　豊ノ十七ウ十八ウ

多須伎　大〻ノ世四オ五十オ五十五オ

禮

靈鬼

逆　礼ム加皮欠

吴エノ八オ

吴下ノ十ウ

曽

所以　ソヘニ　将ノ廿九ウ

宗我入鹿之乱　吴上ノ十二ウ

曽太礼留　吴足之　佛一オ

訕　ソシリテ　吴中ノ十九オ

嫌　ソネミ　吴上ノ十三オ

憎　ソネミ　将ノ十三ウ　廿七オ

天　ソラ　将ノ廿オ

僧都　吴上ノ十二オ

息利　旲下ノ廿九オ

息利酒　旲中ノ卅六オ

杣　太ノ十二オ　五十一ウ

束　六把為一―　同　四十六オ

八杣木本祭　（豊ノ八オ　太ノ十二オ五十一ウ
太ノ十四オ

八杣山口祭　豊ノ九ウ　廿一オ

底都磐根宮柱布都之利立　古ノ七オ

何方　ツコバク　將ノ十オ

傷　ソコナフ　旲上ノ三オ

讖　ソシリ

副机

背　ソヒラ

将ノ六オ

豊ノ廿五ウ廿六オ

太ノ四十三ウ卌四オ

古ノ五ウ

門

築垣　雑筆下ノ卅九ウ

委曲　ツ波比良計苦　炅中ノ十ウ

翻《ツバサ》　炅中ノ一ウ

都波恵年　将ノ三ウ

井《ツハト》　炅下ノ廿六オ

仗《ツハモノ》　古ノ五ウ　八オ

撞　豊ノ卅六ウ

拙　太ノ四十ウ

坩《いお》厳廊金鑠　太ノ六オ
靫　ツホヤナグヒ　将ノ十一ウ
壷　ツホ　太ノ六十三オ
懃　都止米豆　旲中ノ廿五オ
都止米毛呂毛呂　努哉庶人之　佛ノ五オ
土代生絶惟　太ノ廿三オ
土馬　同廿三オ　廿四オ
都智　地く　佛ノ一オ
土代白細布張　太ノ廿四オ

土代敷　太ノ十六オ

塊　ツチクレ　昊中ノ廿三ウ

血沼ッ奴　冂　六ウ

井　ツルベ　昊上ノ十六オ

都留岐能多知　熱ノ十四ウ

婚　都流支　昊中ノ六ウ

振釵　将ノ廿九オ

都加閇麻都礼利　仕へ　佛ノ三ウ

疲　都加礼尓弖　昊中ノ卅一オ

疲 ツカル　将ノ廿一ウ

就 ツカン　日十四ウ

宰 ツカサ　日十ウ

掌 ツカサ　日廿ウ

陳 ツカロテ　昊中ノ廿八オ

謁 ツカヘ 一万ツラス　昊上ノ十オ

流 ツタフ　昊上ノ二ウ

倏然 都大々々　昊中ノ卅三オ

漂青 ツヽラカ　昊下ノ九オ

塘ツヽムテ　将ノ十九ウ
黒葛ツヽラ　太ノ四十五ウ
葛作二胡籙一　同廿三才
褁飯　同四十三ウ四十四才豊ノ廿五ウ廿六才
都々作〻　佛ノ二才
都祢常〻　同四才
訂ツ良〻〻　呉下ノ二才
倩ツラ〻〻　将ノ二ウ
紬子　太ノ十六ウ

机　ツクヱ　太ノ卌九オ
机代　豊ノ廿五オウ　廿六ウ　太ノ四十三ウ　四十四ウ
檏　ツク　昊上ノ八ウ
傭債　豆久乃比　昊下ノ廿八ウ
償　ツツノフ　昊上ノ二ウ
営　ツクル　昊中ノ廿二ウ
甃　ツクシ　将ノ廿七オ
繕　ツクロニ　日四ウ
棠　ツクラ留　昊下廿二ウ

都久留　佛ノ一オ

造棒　雜事下ノ一オ

妻戸　日　四十四オ

妻　端之　大ノ十五オ豊ノ十二オ

晦　ツコモリ　呉上ノ十八ウ

霄晦　都支己モ利　呉下ノ卅一ウ

春　ツキ　大ノ四十ウ呉中ノ卅七ウ

即俗　ツキ天　呉下ノ九オ

月水　ツキノオ　○サハリノモノ　熱ノ十オ

調糸　（豊ノ廿三オウ　太ノ五十三ウ　五十四オ
太ノ五十七オ　五十八オ

都紀多知尓祁理　熱ノ十一オウ

桃花　都支　昊中ノ廿一ウ

桃花裳　昊上ノ六オ

啄　ツ支ハマス　日　十六オ

棠　ツキ　（昊下ノ十三オ
昊中ノ廿七ウ

策棠　ツキ　昊下ノ四十七オ

調絹　豊ノ五ウ

坏　太ノ廿八オウ　四十オ

調布　豊ノ五ウ　廿七ウ

都紀加佐祢　熱ノ十一オ

鎚　都紀　呉下ノ四十九オ

爪皺テ似ク二牛豆ノ甲一　呉下ノ廿九ウ

都美　罪之　佛ノ四ウ

辜《ツミ》　将ノ廿四オ

鎛《ツミ》　織具之　大ヽ十八オ

杖　日廿九ウ

杖代　雑事上ノ四オ

粒《ツヒ》

貫《ツヒエ》

聿《ツ比ホ》

晦大祓

都須　薏之

灵上ノ二ウ

灵中ノ卅六オ

將ノ五ウ

灵下ノ廿八ウ

豊ノ卅一オ卅六オ

古ノ十三ウ

祢

練御被　太ノ廿四ウ　廿五オ

練裳　太ノ廿五オ

練綿御襷ノ　太ノ廿三ウ

練糸綿　旲中ノ廿二オ

庶　子ガハクハ　旲上ノ廿八ウ

祈　子ガハクハ　旲上ノ三オ

祈　子ガフ　旲下ノ二オ

惻　子タミ　旲上ノ十六オ　廿一オ

慷慨　子タミテ　吴中ノ十ウ
捻埴像　吴下ノ十九ウ
根國　古ノ四ウ
閨　子ヤ　吴中ノ廿八オ
甜　子フリテ　将ノ十四オ
寐　子フル　日　九オ
狸　祢古　吴上ノ廿一オ
祢居目　古ノ三オ
遇猫《ネコニアヘル》之鼠　将ノ十二ウ

寐　子テ

祢宜

祢宜秣地田一町四段

祢宜内人

祢宜内人等

祢宜齋館

祢宜齋院

懸　祢毋呂ホ

奈

奈　頑意之　佛ノ一ウ

礒　那　吴下ノ四十九オ

蜯　那口三　吴下ノ四十七オ

内典来　吴上ノ一オ

内經外書傳ニ於日本ニ　吴上ノ一オ

内印外印　将ノ廿六オ

内侍所神鏡　雑率上ノ四十一オ

内院御《ミ》門　豊ノ廿三ウ廿八ウ四十ウ

縄以為袈裟　昊中ノ廿オ

縄床　一豆　昊下ノ四ウ

縄蓆　太ノ十三オ

紲　昊下ノ五ウ

蝉　昊上ノ廿六オ

倪　ナニナ尓　昊中ノ十ウ

昌　那尓　昊下ノ十八オ

尚　ナホ　将ノ廿一ウ

奈保良酒并菜　太ノ四十二オ　五十二ウ　五十八ウ　六十八オ

直會殿　豊ノ十五オ　太ノ七ウ
奈保良比御歌　太ノ五十六ウ
奈保良比料稲　日四十六オ
直會殿　日八オ
直會所　豊ノ三ウ
直會所門　日三ウ
直會人　太ノ五十九ウ
奈保良比所　日五十六オ
奈保良比供給料　日四十ウ

柰戸
碣 柰倍
営農《ナリハヒ》
産業《ナリハヒ》
蕣《ナリヒサコ》
罰椒《ナルハシバミ》
鳴雷落在
中ッ瀬
乍《ナガラ》

太ノ廿八オウ
旲中ノ廿九オ　四十オ
旲下ノ卅四ウ
旲中ノ廿二ウ
太ノ四十四ウ
古ノ十三ウ
旲上ノ五オ
熱ノ十四ウ
将ナウ

那《ナ》何《カ》祁《ケ》勢《セ》留《ル》　熱ノ十一オ
長屋親王　昊中ノ四ウ
媒　ナカヒト　日　廿九ウ
曲屈　那可良　昊下ノ十三オ
流木　日　廿七ウ
戴惣　奈可良　昊中ノ廿三オ
中臣祓　古ノ二ウ　八ウ
中臣之祓　雑事上ノ廿八ウ下ノ七ウ
中取　太ノ四十四ウ豊ノ廿六ウ

長茵　短茵　太ノ六十三オ

中重嚴　豊ノ廿二ウ　廿九ウ

奈賀久　佛ノ二ウ

長楉　太ノ五十二オ

鯔　八隻　旲下ノ九ウ

鯔　名吉　日ノ十ウ

奈太丶丶　太ノ十二ウ　十四オ

夏冬二季御卜之式　古ノ十ウ

馴　奈ツ岐　旲上ノ六ウ

七日七夜　旲上ノ五オ

七重塔　旲中ノ廿六オ

七拳脛　執ノ四オ

比《ナラヘル》　将ノ廿ウ

效《奈良比天》　旲下ノ二オ

南菩薩　日　四ウ

男官　（豊廿四ウ　四十ウ
太ノ五十八ウ

奈宇志祢　雑事下ノ五十一ウ

嫐《ナヤム》　将ノ十三ウ

膾机　吴中ノ九ウ

鎬　ナマリ　同　一ウ

膾　ナマス　同　十ウ

嗟　ナゲキテ　同　四十才　下ノ四十七才

嬲　ナブル　吴中ノ卅九ウ　下ノ廿二ウ

摩　ナデ　吴中ノ五才

奈岐鍾、　豊ノ七ウ八才　太ノ十三才

嘗　ナメツリ　吴中ノ十ウ

雙槻　奈弥ッ紀　吴上ノ十才

梨
奈志　成之

昙中ノ卅一オ
佛ノ二オ

良

良
浪人

熱ノ十一ウ
雑耒下ノ四ウ

武

鞦懸　雑幸下ノ一オ

迸 ム加皮欠　吴下ノ十ウ

行藤 ム加波支　日　十一ウ

憙 牟加之比　吴上ノ八ウ

正月里ノ人　吴下ノ卅オ

長 ムラカレ　将ノ八ウ

叢雲叙　熱ノ十七ウ　日一ノオ

紫判御本結　豊ノ十三オ

紫蓋　豊ノ十三オ
紫本結糸　大ノ廿四ウ
紫本結　同　廿三オウ
紫紗裳　同　廿五オ
紫帯絛帯　同十七オ　廿三オウ　廿四ウ
紫御帯　豊ノ十三オ
紫刺羽　大ノ十六オ　十三オ
紫御被　大ノ十六ウ
紫御裳帯　大ノ十七オ

紫羅御裳　　太ノ十七オ

紫衣笠　　大ノ十五ウ

鞦《ムクイ》　　将ノ廿四オ

武蔵村主多利丸　　異下ノ廿三ウ

麥畠　　異中ノ十五ウ

莚　　豊廿六ウ

蓆《ムシロ》　　太ノ六十三オ

席《ムシロ》　　異下ノ廿四ウ

韃《ムチ》　　異中ノ八ウ

務所聽

莞然　ム世カ乍

豊ノ四オ

呉下ノ五ウ

宇

鵜 于　昊中ノ四十二オ

南 于波良　昊下ノ廿七オ

奪　将ノ八オ

上張帳　豊ノ十二オ

表覆帛被　大ノ十六ウ

於覆帛御被　豊ノ十二ウ

於背御門　大ノ六ウ

宇潤 上之　佛ノ二オ　熱ノ十一ウ

於不冑御門　太ノ六ウ
於居　戸昊　日　六オ
服《ウベナリ》　昊中ノ卅二オ
諾《ウベナリ》　日　卅一オ
宇倍那宇倍那　熱ノ十一オ
討取《ウチトラレヌ》　將ノ八ウ
内人　(雑事上ノ二オ十ウ
太ノ十一ウ　十三ウ
撃合《ウチアフ》　將ノ十二ウ
氏之寺　昊下ノ廿五オ

氏神　熱ノ廿一オ

撃勝　将ノ廿四ウ

撃變　ウチカハテ　同廿ウ

裏綿　豊ノ十二ウ十三オ

内人　太ノ十ウ　卅五オ
（雑事上ノ廿五ウ）

内人物忌工　豊ノ七オ

内人物忌工等　太ノ十一ウ

内人秣地田一町　太〻四十六ウ

宇治大内人　同十一ウ　十二オ　卌四ウ

宇治内人秣地地田一町　太ノ四十六ウ

内牧屋生絶御帳　日 十六オ 廿二ウ

内重御門　豊 廿三オ 廿九ウ

漆塗呉床　太ノ廿三オ

花《ウルハシ》　呉中ノ一ウ

漆《宇留之》　呉下ノ十四オ

塗漆皮筥　日 十三ウ

妹《ウルハシ》　呉上ノ廿三オ
呉中ノ廿三オ

霑《ウルヘリ》　将ノ廿二ウ

魚机　太ノ四十四ウ

窺　ウカヾ言皮　昊上ノ十オ

窺　有加ゞヒ　昊下ノ十ウ

賣命　于加礼年　日四十三オ

浮浪　宇加礼比止　日七ウ

浮浪人　日十六ウ

浮浪人之長　日十六ウ

歌女　(太ノ四十四オ　(豊ノ卅四オ

咏　有太ヽ比　昊下ノ四十三オ

咏 宇多比弖　旲中ノ卅八才

歌女鳥子名　豊ノ廿五ウ 廿六才

歌人歌女鳥子名　太ノ四十四才

歌人女　豊ノ廿六才

歌人歌女　同 廿四才

抱 子田支　旲下ノ十三才

拍 子多礼弖　旲上ノ十六才

討 ウタミ　将ノ十才

宇礼志久 喜ヾ　佛ノ三ウ

噦　ウツフク　将ノ十五オ

現　ウツシ　旲中ノ廿三ウ

移　ウツシ　将ノ十八ウ

宇都志　写之　佛ノ三オ

宇都利　迁之　日　三オ

宇都奈留比佐　打膝之　太ノ五十六ウ

現哉《ウツ、ヤ》現哉《ウツ、ヤ》　熱ノ九ウ

踞　ウツクマリヲリ　旲下ノ廿一オ

蹲　ウツクマリ　旲中ノ四十オ

畝　ウフナ　旲下 十九ウ
怨　ウラミ　将 七ウ
恨　ウラミ　将十七ウ 将ノ十オ
怖　于良米之美　旲上ノ世一オ
悕　ウラメシミ　旲中ノ五オ
妬忌　于良ヤマミ　旲上ノ十八ウ
嫉妬　ウラヤミ　旲中ノ五ウ
纏綢端畳　雑事下ノ四十四オウ
宇夜麻比　敬之　佛ノ三オ

甘《ウマキ》詞　将ノ卅オ
馬鞍立髮飾金革　太ノ廿三ノ廿四オ
味酒鈴鹿國　日　三ウ
馬養　昊下ノ廿七ウ
息　于万古　昊中ノ廿二ウ
借テレ馬　日　廿八ウ
利　于万波志○毋寸　日　卅七ウ
廐戸　昊上ノ九オ
駅舩　昊下ノ八オ

祈禱　有分比　呉下ノ四十三オ

膺　ウケテ　将ノ廿六ウ

奉　ウケ玉リ　日　廿二ウ

奉　ウケ玉ハリ　日　廿九ウ

宇氣布祢　約誓之詞　古ノ三ウ

約誓　ウケヒ　日　二オ

桒棒《ウツスナ》之地　熱ノ五オ

浮橋　（雑事上ノ九ウ　日下ノ九ウ
日下ノ四十六ウ　日ウ内四十七オ　日二十三オ

右京四行坊禅院向禅院　佛ノ十オ

宇女　古ノ二オ

膿《ウミシル》　旲下ノ卅八オ

海濵《ウミベタ》　古ノ六ウ

潮　旲下ノ廿七ウ

宇自加ノ支興　将ノ六ウ

後手一毀　太ノ五十一オ

後手一毀拍　豊ノ廿八ウ

武須比　古ノ一ウ

碓《ウス》　太ノ卅七ウ卅八ウ
一熱ノ一ウ

雁屋　旲上ノ六オ

為

率《ヰ》　将ノ十一オ

田舎人　日卅四ウ

猪ノ油　旲中ノ卅四ウ

為《ヨ》　率之　佛ノ二ウ

将《ヰテ》　将ノ十一オ

率《ヰテ》　将ノ卅オ　旲中ノ卅一オ

乃

咒　乃呂不　　㬎上ノ廿三オ

乃保波利　　太ノ十四オ

蚩　乃へ　　㬎下ノ十オ

能和者命終之詞　　熱ノ十四ウ

乃知乃与　　佛ノ三オ

乃知　　日三オ

乃利乃多　福田之　　日五オ

告刀　ノリト
乃利　法〻
遁　ノカレ
佇　乃曽支天
乃曽久　除〻
軒詢　ノヽミリ
乃祁留　残〻
乃巳祁利　残之
遺　ノコセリ

（太ノ十二オウ　十三ウ　豊ノ八オ
豊ノ九オ　太ノ四十二ウ
佛ノ五オ
将ノ卅オ
昊上ノ八ウ　昊下ノ十九ウ
佛ノ四ウ
将ノ九ウ
佛ノ二オ
日　二ウ
将ノ卅二オ

扪　ノコヒ　昊中ノ五オ

扪　ノゴフ　将ノ廿オ

荷前物　太ノ六十二オ

荷前赤良曳御調糸　六月之　雑事下ノ五十オ

荷前絹　大ノ六十一ウ

祈禱　ノミゾウス　古ノ三オ

乃木　ノミ　太ノ十四オ　四十オ

鑿　ノミ　昊中ノ世一オ

祈　ノ美　昊中ノ十ウ

鄙　乃比加南流

野火

昊中ノ六ウ
古ノ四ウ

於

下《オロシ》　將ノ廿三ウ

於波瀬波夜　熱ノ廿三オ

於波勢輿　同　廿三オ

鬼　昊上ノ七ウ

大内人　大ノ十二ウ　十三オウ　卅四ウ　雜率上ノ二オ十ウ　雜率上ノ十九オ　廿五ウ　豐ノ四ウ　大ノ十三ウ

意保美也人　大ノ五十六ウ

大蛇飲ニ於大蝦　昊中ノ十七ウ

大蛇纒ニ於登女之朶ニ　同　四十三オ

大樻　旲中ノ卅九オ
覆ヽ樻　大ノ廿三ウ
大祓　豐ノ卅一オ卅六オ
覆　オホヒ　大ノ廿三オ
大饌　オホミケ　熱ノ十オ
大神高市萬呂卿　旲上ノ廿五ウ
玉盞　オホミサカツキ　熱ノ十オ
大壽《イホイノチ》　大ノ五ウ
大鏡　熱ノ七オ

大伴建日臣　熱ノ十二ウ

大放飫　昊中ノ卅三オ

大亀四口　昊上ノ十四オ

大分《オホム子》　将ノ廿九ウ

大蟻千許集　昊下ノ卅二オ

大蟹　昊中ノ十四ウ

宏《オホイナル》　将ノ廿九ウ

於保乎蘇止利　昊中ノ六オ

百姓《オホンクカラ》　古ノ四ウ

大笥　太ノ廿四オ

大垣　延喜斎宮寮式ノ源氏ノ榊　雑事下ノ四十九オ

防往籬　オホウギ又ハセキカキ　（太ノ七ウ八オウ　豊ノ四ウ五オ

大鉾　豊ノ八オ

大中臣氏　雑事下ノ七ウ

於保与須我良　大夜　右ノ九オ

官物　オホヤケモノ　同　八オ

人民　オホンタカラ　同　八ウ

於保美阿止　大御跡之　佛ノ四ウ

大地主神　古ノ十三オ

大物忌父　（雑夏下ノ十ウ　豊ノ六オ

於保岐美　大王之　佛ノ五ウ

大峡小峡　古ノ三オ

於保那武智神　同　四ウ

於保美　多之　佛ノ三ウ

厳祭祝詞　オホトノマツリノ ノリゴト　古ノ八オ

大蔵　同　十オ

護身御璽　オホンマモリノ ミシルシ　同　八ウ

大炊屋　太ノ八オ
襃寵《オホンメグミ》　古六ウ
於保乎曽許侶茂　日九オ
大乃末　太ノ四十オ
元戎《オホツハモノ》　古ノ六ウ
大物忌　太ノ十三オ卅五ウ六十三ウ
大錐　日四十オ
大歳社酒　日五十九オ
大直會被レ給　日五十八オ

大直會倭儛　太ノ四十八オ四十九オ五十四オ

藪　オトロ　昊下ノ十八オ

於止礼留　劣之　佛ノ三ウ

陥　於止之悳礼天　昊下ノ九オ

頤　オトカヒ　（昊下ノ四十九オ　昊中ノ廿四オ）

弟《オト》橘媛　熱ノ六ウ

怖　オヂテ　将ノ五ウ

淙　オチ　昊上ノ六ウ

陥　将ノ五ウ

覃《オコビ》　将ノ丗二オ

襲到《オソヒイタル》　同廿九オ

襲　於曽吒　同十六オ

襲《ヒ》改《ム》　同七ウ

壓《オソヒ》　昊上ノ十六オ

晩《オソク》　昊中ノ丗八オ

惱忙《オソレホレテ》　将ノ十三オ

於豆閉可良受夜　不可恐怖哉　佛ノ五ウ

御己曽岐　太ノ丗七ウ

御保止岐　太ノ廿七ウ廿八オウ

御輿已倍　太ノ廿七ウ

御袜　豊ノ十三オ

御汗殿　雑事下ノ十五ウ十六ウ

御湯殿　同九オ

御箕　太ノ廿七ウ廿八ウ

御床張　太ノ廿四オ

御水四毛比　豊ノ六オ

御床敷細布張　太ノ十六ウ

御床於敷細布御張　豊ノ十二ウ

御床土代敷細布御張　太ノ十六ウ

御飯三八具　豊ノ六オ

御飯二八具　日　六オ

音楽分　昊中ノ廿六ウ

御被　太ノ十六ウ

姥《オウナ》　昊中ノ廿二ウ

嫗《於于那》　日　廿二ウ

贈《オクル》　昊下ノ十六ウ

於祁留 置之　佛ノ二ウ
飫憇木葉　古ノ三オ 四オ
怠状　雑叓ノ六オ
⿰火齊 於紀　旻中ノ十六ウ
⿰火齊 於支比　旻下ノ四十オ
於岐斯　熱ノ十四ウ
於《オ》岐《キ》多《タ》麻《マ》倍《ヘ》礼《レ》婆《バ》　旧 二十二ウ
押天耶　旻下ノ四十二ウ
柳下 オシタレ　古ノ六オ

帯　豊一十三オ　太ノ十七オ
擯　オヒ　昊中ノ十八ウ
赫然　於無日天利シ天　昊下ノ九オ
思惟　将ノ廿四オ
於牟美良久　日　十ウ
赫　オモホテリく　昊下ノ九オ
譃　オモシロシ　昊上ノ廿一オ
翫　於毋祢利足　昊中ノ廿一オ
於毋保由留　佛ノ四ウ

於毋志呂　古ノ四オ

於須志　強女之　同　三オ

於須女　同　三オ

押比　豐ノ十八ウ

忍比《オスヒ》　豐ノ十三オ

意須比《オスヒ》　熱ノ十二ウ　太ノ十七オ

意須比乃宇閇《オスヒノウハ》　同　十二オ

衣裙《オスヒ》　同　十オ

久

黒木御橋　太ノ十オ　雑叓上ノ十オ　卅七オ

黒作太刀　太廿三ウ　廿五ウ

鐵鉾　同十二オ

鐵鏡　同十二オ

鐵人形　同十一ウ　十二オ

鐵山　呉下ノ十五ウ

涣　クロミ　将ノ十八オ

裹　クロメ　同廿九ウ

黒班犢　呉中ノ十五オ
黒酒　太ノ六十六オ
鍬　日五十一オ　太ノ十三オ
桑樹　クハノキ　熱ノ十二オ
六合　クニノウチ　古ノ二ウ
久尓　國之　佛ノ二ウ
擧國歌詠　呉中ノ廿七ウ
國衙　熱ノ廿二ウ
國之解文　将ノ十七ウ

風俗歌《クニブリウタ》　熱ノ十二オ

食國　久尓乎師《シ》　旲中ノ卅三オ

國上　日　廿二オ

食國　久尓乎主　旲上ノ八ウ　日六ウ

國津神　（熱ノ七オ　豊ノ十六オ）

國都罪　大ノ五オ

國津神大山祇之子　熱ノ十六ウ

國津御神　豊ノ十六オ

汚《クホミ》　旲下ノ九オ

汚《クボミテ》　呉下ノ九オ
凹《クボ》　呉中ノ十ウ
口ゞ傷ノ身之穴ノ門　日　十三ウ
憒《クチバシ》　將ノ廿二オ
嚬嘁《クチヒソム》　日　廿七オ
厨屋　豊ノ四ウ
久留比止　未久之　佛ノ四ウ
呉桃葉《クルミノハ》　古ノ十三ウ
訛　久流比天　呉下ノ四十オ日廿五オ

観音銅像　吴中ノ廿二オ

観音苄ノ木像 高十尺　吴下ノ卅三ウ

観音木像　吴中ノ四十ウ

官取鐵之山　吴下ノ十五ウ

称礼観音名号曰南无銅鐵万貫
白米万石好女多徳施セヨ　吴上ノ卅一オ

外書来　吴上ノ一オ

織所厳　雑変下ノ十六オ

菓子佐良　豊ノ卅六ウ　太ノ六十三オ

棺槨　熱ノ十五ウ

火長　雑支下ノ九ウ

因「管闘」天　昊下ノ一ウ

椎《クダケ》　同　十七ウ

粉《クタシ》　昊上ノ二ウ

呉錦御衣　豊ノ十二ウ

呉錦御裳　同　十三オ

呉《クレ》　昊下ノ廿五ウ

呉床　太ノ廿三オ

徑《久沢加幣利》　昊下ノ二オ

巒《久ロ波弥》
屈《クッシス》
咎

詞之部上　久

繧	久ッ波弥	昊中ノ一ウ
屈	クツシス	将ノ十九ウ
峇	クナカヒス	豊ノ十三才　太ノ十七才
婚《クナカヒス》
婚合《クナカヒ》
捅《久良倍之》
饌《久良比毛ノ》
内蔵
宮司代官

旲中ノ一ウ
将ノ十九ウ
豊ノ十三オ　太ノ十七オ
旲中ノ十七オ
旲上ノ五ウ
旲中ノ八ウ
旲上ノ十八ウ
古ノ十オウ
雜下ノ三ウ

九月神嘗祭　豊ノ六オ

偪　久ゝ世　吴下ノ廿三オ

晩　久ゝ尓之　吴上ノ廿八ウ

熊　ロ万　吴下ノ五ウ

熊葛鞬　吴中ノ八オ

熊葛練鞬廿段　日　八オ

九條袈裟　熱ノ十九ウ

雑腊　豊ノ七ウ八ウ卌七ウ四十二ウ

雑作横刀　太ノ十八オ

久佐　種々　佛ノ一オ
璪　九左　昊下ノ卅一ウ
草雑叙　古ノ四ウ　九オウ　十一オ　熱　廿オ
号草雑　叙々　熱ノ十七ウ一オ　六ウ
草餅　三月三日――　太ノ五十二オ豐ノ廿九ウ
草薩安濃國　日　三ウ
鏁　クサリ　昊下ノ六ウ
久米《クメノ》八《ヤ》腹《ハラ》　熱ノ九ウ
組　太ノ十五ウ

呉茱萸ノ木　呉中ノ卅八オ

久志佐志　刺串之　古ノ二オ

櫛戸《クシト》　同　二オ

櫛囊　大ノ十七オ

櫛笥　（豊ノ十三オ　太ノ廿三オ

櫛　筍　大ノ廿四ウ

櫛　熱七ノオ

櫛稲田姫　同　十六ウ

久毗弘何波乃波　同　十ウ

桴《クヒセ》　昊下ノ廿九オ

靉《クモリ》　昊上ノ八ウ

口舌事　雑支下ノ廿八オ

口宣　同　三オ

久須理師　医之　佛ノ四オ

楠《クスノキ》　昊上ノ十三オ

薬酒　五月　五日　大ノ五十三ウ豐ノ廿ウ

楠船　昊上ノ七オ

112
102
95

八部字類抄　中

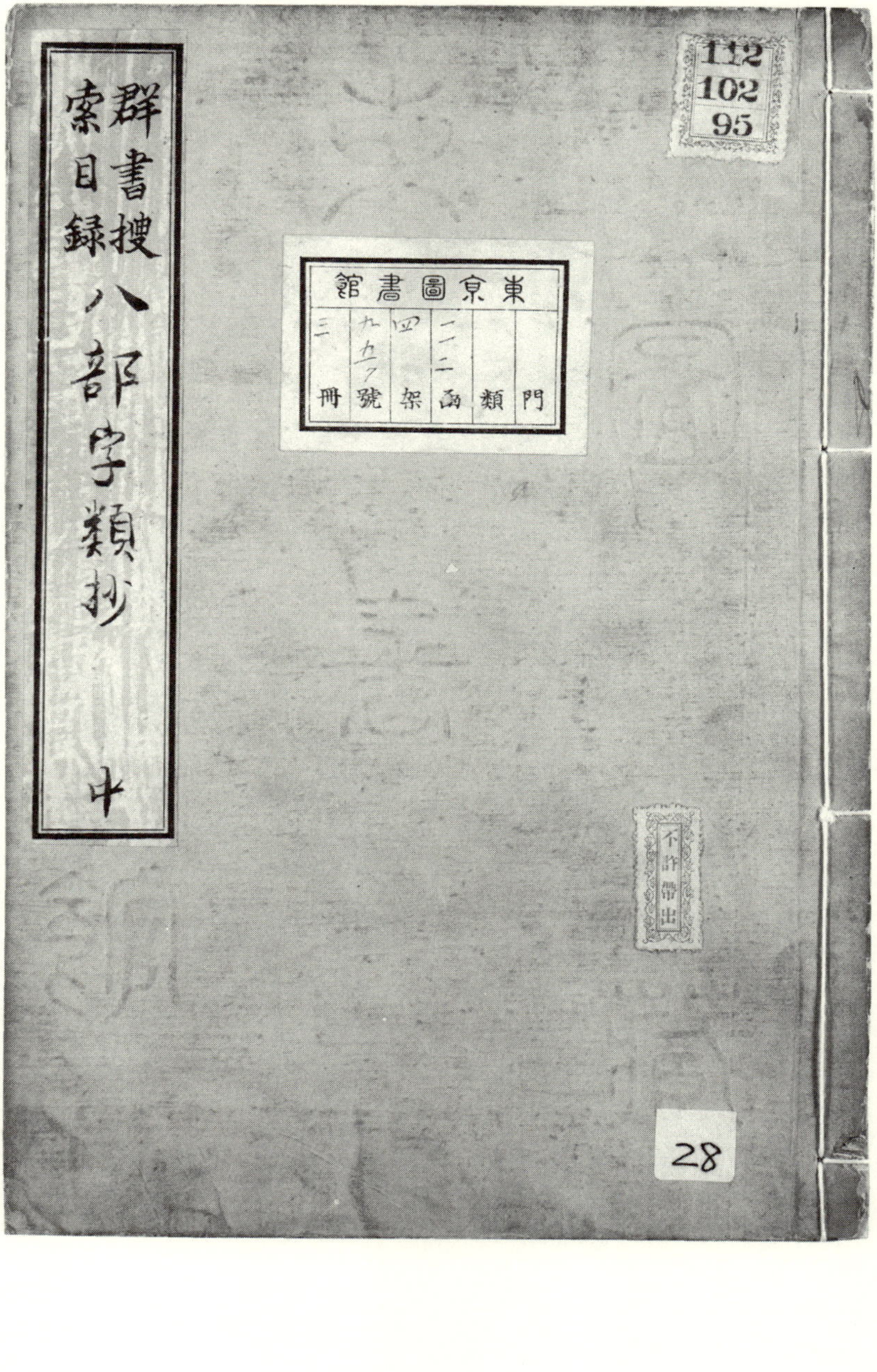

群書捜索目録
八部字類抄
中
112
102
95
東京圖書館
門
類
二二 函
四 架
九九七 號
三 冊
不許帶出
28

八部字類抄

中

八部字類抄巻中

詞之下

也

吔《ヤ》　昊下ノ十一オ

吔夜　冂　廿ウ

儒《ヤハラカ》　昊中ノ廿三オ

八重榊　大ノ四十二オク　五十五オ

雇《ヤトヒテ》　(昊中ノ廿三オ
昊下ノ十六ウ

宿緒《ヤドリテ》　将ノ廿八オ

藥分之酒　昊中ノ卅七オ

藥料物　同　卅六ウ

良久《ヤヽヒサニアリキ》　同　十六ウ

動《ヤヽモスレバ》　将ノ十八オ

倭姫ノ命　熱ノ四オ

倭武尊化白鳥　同ノ十五オ

倭儛　太ノ四十八オ四十九オ　五十四オ

倭儛　大ノ五十八オ六十六オ　六十八オ
豊ノ廿七オ卅ウ卅五オ雑支下ノ十二ウ

庭麻乃迦比　熱ノ十ウ

山神
山道
山口祭
山口祭木本祭
山造工
山向物忌
蟒《ヤマカヾチ》
八岐大蛇
東西文氏《ヤマトカフチノフミノカハネ》

熱ノ八ウ十三オ
呉下ノ廿二ウ
豊ノ廿一オ廿四ウ
同七ウオ同九ウ十二オ廿一オ
太ノ十五オ
同十一ウ十二オウ四十二オ
将ノ廿九ウ
古ノ四ウ
古ノ十ウ十一オ

疫　ヤマヒ　将ノ廿九ウ

八尺瓊曲玉　太ノ四十二ウ

羞　夜左斯　呉下ノ四十七オ

輟　ヤミス　呉上ノ五ウ　呉中ノ廿二ウ

八醞《ヤシホヲリノサケ》酎　熱ノ十七オ一

社守七員　日　廿オ

八開手拍　豊廿三ウ　卅四オ

八開手拍且短手一段拍　太ノ五十八オ　六十八オ

嫠寘　ヤモメ　将ノ廿八オ

差　夜須美久　　吴下ノ四十才

愈　夜須満須　　昊中ノ十ウ昊下ノ四十才

止　ヤスミス　　将ノ廿八才

休　ヤスム　　将ノ七ウ

夜《ヤ》須《ス》美《ミ》斯《シ》々　　熱ノ十六才

夜須久志津加尓　　冂　廿三才

擯　　吴上ノ卅一才

末

麻婆利 廻也

瞻 万波礼波

麻尔志多以

随 満尔萬

袜 マヘダレ

前銜

前簀

膔 万止

佛ノ四ウ

昊中ノ十八ウ

熱ノ廿三オ

昊下ノ四十八ウ

豈ノ十三オ

太ノ四十オ

日 六十三オ

昊上ノ十九ウ

牖紙　旲上ノ十九オ

麻知何多尓　熱ノ十一オ

真利　鋺也　（太ノ六十三オ　日卅七ウ　日四十ウ
豊三ノ卅六ウ）

罷　マガテ　将ノ十一オ

畚垣　マガキ　太ノ三オ七オ十七ウ

矣鬼　マカツカミ　熱ノ三ウ

畚垣御門帳　太ノ十七ウ

曲玉　日四十二ウ

麻多　旲下ノ四十二オ

麻多乃與　又之世之　佛ノ三オ

麻礼　稀之　同一オ

麻蘋義乎波理乃夜麻　熱ノ十ウ

松ノ木ヲ以為レ舟　昊上ノ廿ウ

麻都良牟　奉之　佛ノ三オ

歸順《マツロフ》　古ノ六ウ

靈時《マツリノニハ》　日八ウ

明松　太ノ四十四ウ

麻津礼波　熱ノ廿三オ

順伏 マツロヒテ
摩 マ子キ
效 マ子
塩醤 万奈京古止
真奈井
閑 万良
麻良比止 稀人之
麻宇佐牟 申之
備 マウケ

熱ノ二ウ
将ノ十一ウ
旲中ノ十ウ
旲上ノ十九オ
豊ノ二オ
旲中ノ十七オ同下ノ廿一オ
佛ノ四オ
同　三オ
旲下ノ九オ

麻為多利弖　参詣之　佛ノ三ウ
麻冑弖牟　将ニ参出之　日　二ウ
枕　大ノ十七オ
秣地田　日　四十六ウ
飽秣《マクサ》　将ノ十オ
真久佐牟気草向國　大ノ四オ
馬屎　昊中ノ四十四ウ
負《マクル》　昊上ノ廿二ウ
幕　豊ノ七オ

允《マコト》　将ノ五ウ 六ウ
諒　万去止尓　旻中ノ十九オ
麻豆　近之　佛ノ二オ
真坂樹　大ノ四十二ウ
麻佐米尓美祁牟　正目見之　佛ノ一ウ
真佐支乃蘰　（大ノ五十一ウ／豊ノ廿一オ廿九オ）
麻佐尓　正之　佛ノ二オ
真賢木　古ノ三オ
真辟葛　日　三オ

将門名曰二新皇一
将門所興既在武藝
鉞　マサカリ
雅　マサ
真岐　求之
麻伎　播之
真数《マシキ》刀《ト》婢《ベ》令
禁厭之法　マジナヒ　ヤムルノリ
儛歌

将ノ廿二オ
门　廿四オ
昊上ノ廿八ウ
将ノ十ウ廿一オ
豊ノ二オ
古ノ二オ
熱ノ廿一オ
古ノ四ウ
豊ノ卅四オ四十一オ

麻毛利阿加米　熱廿三オ
麻毛利於波勢与　日廿三オ
麻須良乎　佛ノ二オ

計

筒ヶ　大ノ廿四オ
輕斤　昊下ノ廿四ウ
下畨　大ノ四十八ウ四十九ウ五十二オ
下折樌　大ノ四十三ウ四十四オ

下櫃　豊ノ廿五ウ廿六オ

黷 計加之　昊中ノ一ウ

花香燈　昊中ノ卅八ウ同卅三ウ

花香油　昊中ノ廿三ウ同四十四ウ

現在ノ甘露ハ未来鐵丸　昊中ノ十五オ

外院 ―　雑支上ノ十五オウ十六ウ四十ウ

煙　昊下ノ四十オ

餔 計古止　昊中ノ廿二ウ

袈裟　熱ノ十八ウ

饌器
芬子七解有餘
祁《ケ》勢《ロ》流《ル》
祁《ケ》勢《ヤ》流《ル》意《オ》須《ス》比《ヒ》
服《ク》士

大ノ卅七ウ
將ノ卅六ウ
熱ノ十一才
日　十一ウ
昊下ノ卅三才

不

太　不止　旲上ノ八ウ

太玉串　太ノ十九オ　四十二ウ　豊ノ十五オ

太輿籠　太ノ十五ウ

太告刀　同四十二ウ

不動倉穀　将ノ十八ウ

藤衣　同　二ウ

藤原朝臣仲麿　旲下ノ四十一ウ

藤原朝臣永手　同　廿九ウ

布利豆々美　将ノ一オ
篩 フルヒ　昊下ノ六オ
二種神宝　古ノ五オ
布多都 ニミ　佛ノ一オ
産㆓生二ノ石㆒　昊下ノ卅四ウ
雙生 アタゴニアレマセリ　熱ノ一ウ
佛菩三軀像　昊上ノ十一オ
橧　太ノ卅八オウ
槽　同卅八ウ

舳《フ子ノトモ》　吴中ノ卅三オ
舩津　吴中ノ卅五オ
舩廠　太ヽ廿一ウ
文室真人浄　俳ノ九ウ
文図帳　雑事下ノ廿七オ
文図田籍　同　廿七オ
杜　布年太ヽ　吴中ノ十六ウ
踰　不年ロ　同　卅一ウ
封印「不」誤　同　卅三ウ

囊
囊 一口
ネス礼天
肥
フマル
履
フケル
貪
鉗 口
マヽム
竿
笛ノ名
銜
フクムテ
總
麻之

熱ノ五オ
呉中ノ卅一オ
大ノ十七ウ
呉下ノ四十三ウ
呉上ノ十八ウ
呉中ノ六ウ
将ノ廿五ウ
呉上ノ三オ
将ノ十ウ
右ノ七ウ

菁　フキ　旲上ノ十六オ　旲下ノ六オ

布賣留　踏之　佛ノ二オ

布美　踏之　冂一オ

文殿　雑支上ノ卅七オウ

践　フミ　旲上ノ八ウ

踰　フミ　旲下ノ十一オ

跋躩　フミハダカリ　将ノ廿九ウ

布施銭　旲下ノ九オ

防㹒䕷《フセキガキ》　（大ゝノ七ウ八オウ　豊ノ四ウ五オ

黶　不須闕

被

昊下ノ四十九オ

太ノ十六ウ

古

粉ヽコ	旲下ノ六オ
碁	（旲上ノ廿二オ 旲中ノ廿三ウ
衣中ヽ佩ヽカ	熱ノ三オ
許侶コロ	古ノ九オ
比頃　己呂保比尓	旲下ノ廿二ウ
拒　己曽年	日　十ウ
小鉾	豊ノ八オ
期止　如之	佛ノ四ウ

其《コ》止《ト》久《ク》　熱ノ十一オウ

高言　コトアゲシテ　日　六ウ

謗　去ト和左　昊中ノ十五ウ

去止乎能米　日　六オ

詰　コトアゲシ　玉ヒキ　熱ノ一ウ

許知其知能　日　十ウ

小鈴　豊ノ八ウ

鎊　金花形　太ノ六オ

飾金御鐙　日　六オ

金桶　太ノ廿五ウ

金拃　同　廿五ウ

金絡綵　同　廿五ウ

金御箸　豊　廿四オ

金鋒　同　八オ

金人形　同七ウ　八オ

金高機　太ノ廿五ウ

金鏁　同　六オ

小刀　（太ノ十ウ同十一ウ
豊ノ七ウ八オ廿四オ

少刀　吴中ノ九ウ
暦日博士　将ノ廿六オ
己礼　是之　佛ノ三オ
己曽岐　太ノ卅七オ
金《コン》堂　吴下ノ卅三ウ
金《コン》鷲行者　吴中ノ廿六オ
金鷲優婆塞　日　廿六オ
金銅揣　太ノ十八オ
紺御衣　日　十六ウ

紺染幕　（太ノ十二オ 豊ノ七オ）
紺御裳　（大ノ廿五ウ 豊ノ十三オ）
小内人　（太ノ四十六オ 豊ノ五オ 雑事上ノ四十五オ）
紅染ノ裳　昊上ノ六オ
碁ノ手　昊中ノ廿三ウ
已《コ》乃《ノ》由《ユ》不《フ》志《シ》保《ホ》　熱ノ十一ウ
木ノ本祭　（豊ノ七オウ 十三オ八オ 十オ 廿オ 廿四ウ 太ノ十三オ 五十一ウ）
比頃　コノゴロ　昊中ノ廿五オ
頃　エノゴロ　昊上ノ十八ウ

已乃与波　此世之　佛ノ四オ

五月五日菖蒲蓬　（豊ノ廿ウ　大ノ五十三ウ

五月五日薬酒　（大ノ四十六オ　豊ノ五オ　雑吏上ノ四十五オ

五月五日薬酒直會給　分　昊上ノ六オ

五月晦日大祓　昊中ノ廿三ウ

五節錦御被　熱十一ウ

古久弥　（豊ノ七オウ十二オ八オ十オ　廿一オ廿四ウ大ノ十二オ五十一ウ

債冷　吾万祢皮ロロカ止　昊中ノ廿五オ

古万留　昊上ノ十八ウ

國府門外　吴中ノ卅二オ

古文正字　将ノ廿六オ

娟　日五オ　吴上ノ六ウ

古語拾遺

許々太久　太ノ五オ

於是《ここ》　将ノ十ウ

粤《ここ》　吴上ノ二ウ

古許尓麻津礼波　熱ノ廿三オ

試　将ノ十九オ　吴上ノ八ウ

悸《コヽロウ》　呉上ノ二ウ

心牟遭杵《コヽロモトナキ》　将ノ廿八オ

肥《コエ》　呉下ノ十九オ

小綾紫御衣　豊ノ十二ウ

小綾紫御被　同　十二ウ

小綾紫御裳　同　十三オ

小綾帛御衣　同　十二ウ

小綾緑御衣　同　十二ウ

小文紫御被　太ノ十六ウ

小文綟御被　太ノ十六ウ
小文紺御衣　同　十七オ
小文綟一疋　同　十六ウ
小文紫御衣　同　十六ウ
小細雨　コサメ　呉上ノ八ウ
古木古曽といふ女ノ名　雑事上ノ四十四ウ
搆造　豊ノ五オ
腰須蘇高五尺　単裳腰并須蘇　太ノ十七オ
腰戸帳　同　廿三オ

五色雲　旲上ノ廿七ウ　日十二オ
峯　太之　旲上ノ五ウ十オ
峯籠　旲上ノ五オ
輿篭　太十五ウ
層　古之　旲下ノ四十オ
柏如許　巳之羅許曽　日　四十一オ
橧　コシキ　將ノ七ウ
古非皮米奈　旲上ノ六ウ
鯉　己以　旲下ノ十八オ

鷹
許毋理國志多備乃國
五節儛

大ノ六十三才
同四才
豊ノ世四ウ四十一ウ

江

衣 得之

枝離垂《エタハナレタル》

徭役

傜丁

遥拜

役優婆塞

疫神

俘蝦夷《エミシートトリコドモ》

佛ノ五オ

将ノ廿八オ

熱ノ廿オ

豊ノ六ウ

雑支上ノ四オ十四オ

吴上ノ廿七オ

吴中ノ卅オ

熱ノ十四オ

蝦夷　衣比須

毛人

衣美須弖　不得見之

昊下ノ廿五才

同　十ウ

佛ノ一ウ

手

弖　幣〻　古ノ二ウ

者　テヘレハ　雑事上ノ二オ

典　丁止礼而　旲下ノ廿七ウ

手鉾　豊ノ七ウ

疊　弖都九里　旲中ノ廿二オ廿三オ

手名槌　熱ノ十六ウ

攀　手奈ヘ　旲下ノ廿三オ

手長乃大壽　太ノ五ウ

寺薬分之酒　昊中ノ廿七オ

衙　弖良波吉弖　日　廿五オ

天骨　昊上ノ廿オ　昊中ノ十六ウ四十オ

天神地祇　昊下ノ四十一ウ

天ノ星悉ク動キ繽紛ト〆而飛ヒ迂ル　日　四十三ウ

天慶元年　将ノ六ウ

天井蚊屋　太ノ廿四ウ廿五オ

天井帷　豊ノ十三ウ

天井　太ノ十五オ豊ノ五ウ十一ウ

天井生絁御帳　太ノ十六オ

貂《テン》食御饌殿ノ御膳　雑変下ノ十四ウ

田畐　雑変上ノ廿五オ

手拍　太ノ五十オ

洗手不于之弖　仕神之敬　豊ノ十八ウ

安

噫　阿　旻中ノ六ウ

畔　阿　同　廿一ウ

阿波那知　毀畔之　古ノ二オ

阿波礼　天晴之　同四オ　熱ノ十二オ

喃　安波礼　旻下ノ二オ

⿰礻希　阿波礼　旻中ノ廿三ウ

鮑　アハビ　豊ノ卅七ウ

阿倍内親王　旻下ノ四十一ウ

蹤 ア止　旲下十三オ

阿止 蹤之　佛一オ

阿止奴志 跡主也指如来　日四オ

無状 アヂキナシ　古ノ一ウ二ウ

無道 アヂキナシ　同一ウ

阿知支奈久　将ノ四オ

阿留 有之　佛ノ一オ

青甲纈錦御衣　大ノ廿三ウ

青摺衣裳　雑変下ノ四ウ

漚　阿和　旲下ノ廿一オ

赤酸醤　熱　十七オ

赤幡桙　旲上ノ五オ

赤良曳御調糸　雑事下ノ五オ

赤引生糸　大ノ卅四ウ　四十六ウ

赤引調糸　日　五十三ウ五十四オ五十八オ六十七オ

明曳調糸　豊ノ卅三オウ

明曳糸一絇　日　卅一オ

明衣　（大ノ五十オ
豊ノ七オ九オ

明衣料　大ノ十三オ 十四オ 十五オ 廿四オ
白地　雑支上ノ 廿七オ
贕 阿加女豆　昊上ノ十四ウ
貇 アカラシ　日　十六オ
懇、 アカラシキ　昊中ノ廿八オ
懇、 安加良シ比天　昊下ノ十七ウ
暴風 アカラシマカセ　熱ノ六ウ
阿加米　円　廿三オ
縣造　大ノ三ウ 四オ

夭折《アカラサマ》　古ノ一ウ
恰《アタカモ》　昊上ノ十九オ
咫《アタ》　古ノ五ウ
阿礼坐皇子　太ノ五ウ
阿都麻礼流　集之　佛ノ五オ
阿都伎　厚之　同三ウ
吾妻《アツマ》哉《ハヤ》　熱ノ八ウ
東絹《アツマキヌ》一疋　将ノ十一オ
羹《アツモノ》　昊上ノ十七ウ

阿袮古　熱ノ十一ウ　十二オ

英保ノ純　将ノ六ウ

英保純行　日　廿二ウ

蕿　アナツリ　吴上ノ十六オ

探　アナクル　吴中ノ十五ウ

阿那　甚切之　古ノ四オ

阿良多倍　織布之　日　七ウ

洗佐良　太ノ四十ウ

麁香　正厳之　古ノ七オ

荒大〻倍　豊ノ卅七ウ

荒衣天井蚊屋　大〻ノ廿四ウ

荒衣帳　同　廿四ウ

荒衣御被　同　廿五オ

荒妙御衣　雑事下ノ卅一ウ卅三オ卅四オ

荒木田氏　同　七ウ

荒垣　同　四十八ウ

荒神《アラアルカミ》　熱ノ十四オ

現人神《アラヒトカミ》　同　七ウ

暴悪《アラブル》神　日十二ウ

暴神《アラフルカミ》　日二オ　三オウ　十三オ

新《アラタ》　将ノ十六ウ

程《アラハス》　昊中ノ十九オ

裸《アラハ》　将ノ十九ウ

阿良多麻乃岐閉由久止志　熱ノ十一オ

洒《アラヒテ》　昊中ノ四十オ

炭《アラスミ》　日　廿四ウ

編《阿見》　日　一ウ

菖蒲　五月五日ーー　太ノ五十三ウ　豊ノ廿ウ

神剱　アヤシキツルキ　熱ノ十七ウ

過　アヤマチ　将ノ七オ

危　アヤブミ　日　十九ウ

誤　阿夜知豆　呉中ノ廿一オ

奇怪　アヤシキハヒ　将ノ七ウ

文布　アヤ　古ノ二ウ

漢直祖阿知使主来朝　日　十オ

菖蒲縵　太ノ五十三ウ豊ノ廿ウ

神祇《アマツヤシロクニツヤシロ》　古ノ八ウ

践祚《アマツヒツキ》　日　八ウ

宝祚《アマツヒツキ》　日　五ウ

天照大神者祖宗之神　日　十一ウ

天照大神之茅　熱ノ十七オ

天ノ鳴雷神　昊上ノ五オ

天ッ罪　古ニノオ

天都罪國都罪　太ノ五オ

天璽《アマツシルシ》　古ノ五オ

天社國社　古ノ九オ

天津告刀乃太、告刀　太、ノ四十二ウ

天照大神御形鏡　日　二ウ

天十握劔　古ノ四オ

天神比　豊ノ十八ウ

天乃於須女　天鈿女命之　古ノ三オ

天押草　日　十三ウ

天叢雲劔　日　四オ

天安河邊　太、ノ四十二ウ

天平癸

天八重榊

阿麻利　餘之

甜　阿万伎

數　阿満多

海部氏

緋《アケ》

緋一疋

緋襪ヲ着」額

豊ノ十二オ

太ノ廿四ウ　五十五オ

佛ノ一オ

昊中ノ六ウ　昊下ノ十四ウ

昊中ノ世九ウ　昊下ノ四十七オ

熱　廿ウ

（昊中ノ世一オ
昊上ノ五オ

太ノ十六ウ

昊上ノ五オ

緋ゝ嚢　呉中ノ卅オ

緋ゝ襟　マケノクビ　将ノ廿オ

緋ゝ覆　太ノ廿三オ

緋ゝ縕　同　十五ウ

緋ゝ御床敷　同　廿五ウ

緋ゝ嚢　被嚢ゝ　同　十六ウ

緋ゝ御裳　豊ノ十三オ　太ノ廿三オ

緋ゝ御衣　豊ノ十二ウ

緋ゝ錦御衣　同　十二ウ

泥障板　雑支下ノ一オ
阿布 逢　佛ノ二オ
蝮虻 アブハヘ　将ノ十オ
溢 アフレ　呉中ノ十九ウ
膏 アブラ　将ノ十六オ
可 阿古志阿留可奈　呉中ノ六ウ
咲噱 アサワラウ　古ノ六オ
哂咲 アサケリテ　将ノ廿九ウ
呰 アザケル　呉上ノ廿二ウ

麻莚　豊ノ廿六ウ

麻蓆　(太ノ六十三オ)(豊ノ五ウ)

麻蕡　太ノ六十三オ

以麻柄作挿　古ノ十三オ

阿《ア》佐《サ》都《ツ》紀《キ》　熱ノ十一オ

阿《ア》佐《サ》都《ツ》紀《キ》乃《ノ》其《ゴ》止《ト》久《ク》　日十一ウ

麻縄廿尋　旲下ノ五オ

朝夕御饌器　太ノ廿七ウ

生　安左ラカセホシテ　旲下ノ六オ

鮮《アカラケキ》　吴下ノ十ウ

字　同　十九ウ

字　地名之　雑変上ノ五ウ　平外数多出

字甲賀介藤原惟盛　雑変下ノ十三ウ

字曰伊勢沙弥　吴下ノ卅六オ

字曰瞻保　吴上ノ廿四オ

字曰衣納禅師　吴中ノ十六ウ

字曰多夜須子　吴下ノ廿二ウ

字曰上田三郎　吴中ノ十六ウ

字曰二塩春一　吳中ノ卅六ウ

字曰二能応寺一　吳下ノ卅三オ

精盲　吳下ノ十五ウ

蠊　吳中ノ廿二ウ

年魚　太ノ四十五ウ

阿米　天之　佛ノ一オ

天御量《アメノミハカリ》　雑器之　古ノ三オ

天八達之衢　古ノ五ウ

字　阿末乃之多　吳上ノ二ウ

阿弥陀之像　旲上ノ十一オ
編《アミ》　旲ノ十六ウ
沐《アミテ》　将ノ十八オ
邪鬼《アシキモノ》　熱ノ三オ
脚《阿志》　旲中ノ十六ウ
躄《アシナヘ》　旲下ノ廿三オ
足名椎　熱ノ十六ウ
葦簀　豊ノ廿六ウ
相殿御體　雑夏上ノ十五ウ十六ウ

會集　アヒ　アツマル　將ノ四ウ

暫須　アヒダ　吴中ノ廿五オ

阿勢遠　熱ノ十三ウ

左

祭主　雑事上ノ三オ

斎宮寮長官　豊ノ廿五ウ　廿六オ

齋宮齋院忌服以日易月　（雑事下ノ廿七ウ 卅一ウ 四十一ノウ 四十テオ

菜羮 正月七日ーー　豊ノ廿七ウ

渓 左ハ　吴上ノ十八ウ

佐伯宿祢伊太知　吴下ノ四十ウ

佐閉 副之　倂ノ一オ

睞 サリテ　吴下ノ六オ

猿女君　古六ウ
獼猴ノ身ヲ成ニ此社神ニ　旻下廿六ウ
猴之子　旻上ノ廿一オ
佐留　去々　佛ノ三オ
竿《サヲ》之《ノ》調《ミツキ》　古七ウ
村童　左手和良波部　旻下ノ廿三オ
囂　サワグ　将ノ十二オ
愕　サワイデ　日　十七オ
槽　サカブ子　熱ノ十七オ

儒　サカシク　昊上ノ二ウ
墟　サカヒ　将ノ七オ
堺　サカヒ　昊中ノ一ウ
榊　（大ノ四十二オウ　五十五オ
豊ノ卅一ウ　卅八オ
丁　左カリナリシ　昊下ノ十九ウ
峻　サカシキ　日　廿六オ
卒　左可之支　日　廿五オ
層　佐加知天　昊中ノ十ウ
賢木　古ノ三オ

肴　サカナ　大、中ノ十ウ

佐加岐　大、ノ四十二ウ

坂樹　同　四十二ウ

冊　尺　旲中ノ五オ

懸　左加礼留　旲下ノ四十三オ

舎加　釈迦之　佛ノ三オ

逆剥　サカハキ　古ノ二オ

酒坏　(太、ノ六十三オ　豊ノ卅六ウ
太、ノ卅八オ

酒殿　太、ノ四十ウ
(雑支上ノ卅七オウ

酒殿院　大ノ四十九オ　五十二ウ

酒壷　同　六十三オ

酒坩　同　四十ウ

嘱　サツケ　異中ノ廿一オ

佐祢居自能祢居自　摭ヽ　古ノ三オ

佼那佼　鉄釼之　同　三オ

著鐸之矛　サナギノホコ　同　三オ

佐良　四ヽ　(豊ノ廿六ウ　大ノ廿八オ
(四十ウ　六十三オ

早良皇太子　異下ノ四十三ウ

三月三日節新草餅　太ノ五十三オ　豐ノ廿九ウ

侍殿　豐ノ三オ

相八卦讀　昊中ノ廿九オ

鏁　太ノ六オ

佐乃已利　佐者発語之　佛ノ三オ

佐夜戀　竹葉ノ声く　古ノ四オ

佐麻佐年我多米迩為今ニ覚悟也　佛ノ五ウ

防　サマタゲ　将ノ廿九ウ

皴　左介天　昊下ノ卅オ

喣　サケビ　旲中ノ廿七ウ　旲下ノ四十一オ

喣　サケヒテ　佐介比天　旲下ノ四十一オ

叫　サケブ　旲中ノ廿七ウ

酒ニ加水多沽テ取ニ多シノ直ニ　旲下ノ廿九オ

酒作物忌　大ノ卅六ウ　六十三ウ

作酒息利　旲中ノ卅六ウ

雜魚腊　大ノ十四オ　六十二オ

佐古久志留伊須々乃河上　太ノ二ウ　四ウ　五十六ウ

佐古久志呂宇治家田田上宮　太ノ四ウ

肇《サヽケ》　（将ノ廿一オ
昊上ノ五ウ）

以」螺酌」海　昊下ノ一ウ

嗟《サヽシテ》　昊中ノ廿二ウ

佐々義　捧之　佛ノ三オ

前駈《サキハラヒ》　古ノ五ウ

佐伎波比乃阿都伎止毛加羅　多楅人之　佛ノ三ウ

先穗　手波　挍穗尓挍弖　豊ノ六オ

佐伎多知　先立之　佛ノ二オ

吻《サキラ》　将ノ四オ

佐岐　熱ノ十三ウ

析《サ岐弖》　旻中ノ廿二ウ

斫《左支》　旻上ノ廿七オ

佐岐陁智伊奴留　旻中ノ六オ

佐岐波閉給比　大ノ五ウ

蘱《サメテ》　旻中ノ十六ウ

蘱《左来》　旻上ノ十三オ

刺羽《サシバ》　(大)ノ十六オ　十九ウ　廿オ　(豊乙)ノ十三オ　十五オ

黖《左シ弖》　旻下ノ廿六オ

佐志　刺く

哦啼　左こ

咤　佐シ支弖

窈窕　佐吔

假度　サスギ

嗜　安口万見

古ノ二オ

昊下ノ四十九オ

昊中ノ五オ

昊上ノ六ウ

熟ノ十七オ

昊下ノ二オ

幾

城　紀　昊上ノ二ウ

岐閉由久　熱ノ十一オ

吉祥天女摂像　昊中ノ十八オ

雉立　戸具之　太ノ六オ

切机　豊ノ廿六ウ

支利　太ノ十四オ廿九ウ

攢　岐利□母三　昊中ノ廿六ウ

誅　キリ　昊下ノ十一オ

剔　木里　　吳中ノ廿七ウ

錐　キリ　　大、ノ四十オ

截　支里天　　吳中ノ十ウ

絹垣帳　　大、ノ十六オ

衣垣　　大、ノ十九ウ廿オ　豊ノ十五オ

衣笠　　（大、ノ十五ウ十九ウ廿オ
　　　　豊ノ十五オ

衣女　　吳中ノ卅オ

岐奴岐勢麻斯遠　　熱ノ十三ウ

鍗　記留　　吳中ノ廿七ウ

清酒　太ノ四十六オウ

清酒作物忌　日卅六ウ　六十三ウ

淨鋤　豊ノ九オ

淨鑣　日　九オ

伎多奈伎徼　鑯身之　佛ノ五オ

腊　腊 魚　太ノ六十二オ
太ノ卌四オ　六十二オ
豊ノ七ウ　八ウ　廿七ウ

岐都祢　昊上ノ六オ

狐亘　日　六オ

枳根　杵也　太ノ廿七ウ

戮　支羅志乎受　呉中ノ廿二ウ

端正　岐良支良シ　日　卅六オ

銀銅揣一基　太ノ十八オ

金銀ヲ彫《エレル》鞍　将ノ十九ウ

木佛像　呉下ノ廿二ウ

木女神廿柄　豊ノ廿六ウ

木絡鉄　太ノ廿四オ

伎久　闕之　佛ノ四ウ

経飾　呉下ノ卅九オ

行基　昊中ノ十二ウ

行基大徳　昊上ノ十二ウ（昊中十四オ　十八オ

容神像　昊上ノ十八オ

黄書本実　佛ノ九ウ

饗《キコシメシ》　将ノ廿六ウ

伐　支天　昊下ノ五ウ

萠《キザセリ》　将ノ廿四オ

刻《キザミシシニ》　昊中ノ一ウ

岐美能美古止　熱ノ廿三オ

岐美麻知何多尓　熱ノ十一オ

岐美　君之　佛ノ五ウ

岸江厳　ノ　雑事下ノ一ウ

攻《ルノ》レ鵄《キシヲ》之鷹　将ノ十二ウ

吉備ノ武彦　熱ノ三ウ十四オ

木杦　大ノ四十四ウ

疵　キズ　吴下ノ廿七オ

由

由　熱ノ十ウ

斎庭之穂　古ノ五ウ

緩　将ノ廿二ウ

脱　旲中ノ廿二ウ

床　（旲中ノ卅二オ 豊ノ十二オ

床敷　太ノ廿五ウ

床張　日 廿四オ

征 ユカシム　将ノ十三ウ

床ノ守リ　熱ノ十二ウ

喎斜　呉上ノ廿二ウ　中ノ廿四ウ

湯津爪櫛　熱ノ十七オ

湯津如石村　太ゝノ五ウ

由豆利 詠之　佛ノ三オ

由鍬山祭　豊ノ廿四オ

湯鍬　（太ゝノ五十一ウ　豊ノ廿一オウ）

湯鍬山　豊ノ廿一オ　廿九オ

征ユク　将ノ十二オ

緒ユフ　将ノ二ウ
木綿ユフ　（太ノ十九オ　古二ウ
豊廿一オ
木綿作内人　豊廿三ウ
木綿多須岐　太ノ卅四オ五十オ
木綿蘰多須岐　日五十五オ
木綿手次　豊ノ十七ウ十八ウ
由不志保　熱ノ十一ウ
湯貴　豊ノ廿オウ
湯貴御饌　太ノ五十五ウ

湯貴御贄　大ノ四十ウ 四十六オ
湯貴之御祭物　同 卅七ウ 卅八ウ
湯貴清酒料稲　同 四十六ウ
湯貴御倉　同 五十五オ
湯貴供奉　豊ノ十五ウ
湯貴神清酒　大ノ四十六オ
由貴　豊 卅六オ
由伎能与呂志茂　古 九オ
由伎米具利　旋繞之　佛 四ノオ

靭《ユキ》　太ノ十八オ

由紀主基　古ノ十二オ

弦《ユミツル》　将ノ廿二ウ

弓六枚　太ノ廿四オ

結机　（太ノ四十三ウ　四十四オウ　豊ノ廿五オウ　廿六オウ

由須礼 動之　佛ノ一オ

女

眸　メカリウツワメミス　昊中ノ十一ウ　廿二ウ

眸　メラミセテ　昊上ノ六ウ

米太志　愛之　佛ノ四オ

奇　メヅラシクワ　阿也シ支　昊上ノ十オ

愍　メグミ　将ノ廿オ

矜　メグミテ　昊下ノ十四ウ

周行　女久利安留支　日　四十三オ

廻　メグリ　昊中ノ廿八オ

米具利　廻之　佛ノ四オ

廻神百廿四前　大ノ五十一オ

廻防往籬　同八オ　豊ノ五オ

廻王垣　豊ノ三ウ

廻板垣　同四オ

恵賜　メグミタマフ　将ノ十一オ

鍾愛　メグシトオボシテノ　古ノ二オ

美

箕ミ　太ノ卅七ウ　卅八ウ

美 見之　佛ノ一ウ

美 後辭之　同 三ウ

美 御之　同 一オ

微 身之　同 五オ

御稲御倉　雜叓下ノ十一オ

御飯筥　太ノ卅九オ

官軍 ミイクサ　古ノ六ウ

威勢《ミイキホヒ》　熱ノ七ウ
弥勒菩薩銅像　昊中ノ廿八オ
御波志　大ノ卅七ウ卅八ウ卅九ウ
御針　大ノ卅九ウ
御波佐布　大ノ卅七ウ卅八ウ四十オウ
御贄　豊ノ六ウ
御贄机　大ノ卅九オ
御贄廿五荷　大ノ五十四ウ
美保伎玉　御祈玉之　古ノ七オ

水戸　太ノ卅七ウ　卅八オウ
御幌　豊ノ五ウ　十一ウ　十二ウ
御幌帳　大ノ十六オ
御刀代田　（豊ノ廿二ウ廿三オ　大ノ三十四オ五十一ウ）
御刀代御田　豊ノ廿二オ
御歳神　古ノ十三オ
嬰　弥止利古　吴上ノ十六オ
嬰児就鷲、「所」捦　同　十五オ
方　ミチ　将ノ十九オ

三節祭　豊ノ十七ウ　十八オ
美和多流　熱ノ十ウ
御巫内人　太ノ十一ウ十二ウ　四十一ウ　四十二オ
御碓　日　四十オ
御垣御門　雑支下ノ一オ
御薪　豊ノ十九オ
御加美結紫糸　太ノ十七オ
御笠　日四十一オ　五十三オ
御笠縫内人　（豊ノ廿五オ
太ノ四十一オ　五十三オ

帝　古ノ八オ

御加美阿豆練絹　太ノ十七オ

御竈木　日四十九オ

御炊物忌父　雑支下ノ十ウ十一オ

祭宮門祝詞　古ノ八オ

御門帳　太ノ十七ウ

御形　太ノ二オウ

闕　弥加止　旲下ノ十三オ

濫　ミタリガハシク　旲下ノ十九ウ
ミタレガハシ　旲中ノ五オ

御巾　ミタノゴヒ　太ノ十七オ

三《タヒ》顧《ラク》二己《レガ》身《ヲ》一　将ノ十二ウ

御田　太ノ三オウ

思頼　ミタマノフユ　古ノ四ウ

弥蘇知阿麻利布多都　三十二之　佛ノ一オ

御覧　ミソナハス　古ノ三ウ

美曽宇女　理満之　古ノ二オ

御杖　太ノ卅九ウ

御杖代　雑支上ノ四オ

瑞垣　（太ノ六ウ　雑支上ノ廿三ウ
（豊ノ三オ　五オ

瑞垣御門　（太ノ廿オ　雑支下ノ十リ

瑞垣御門帳　太ノ十七ウ

御角柏　（豊ノ卅四ウ四十一ウ　太ノ五十八ウ六十八オ

美豆乃御殿　古ノ七オ

三俣　太ノ四十オ

水真利　太ノ卅七ウ四十ウ豊ノ卅六ウ

作箕料之竹藤黒葛　太ノ四十五ウ

御蘰木綿　豊ノ卅二ウ卅三オ

美豆能美阿良可　古ノ三オ

水䑧　昊上ノ廿一ウ

水䑧一口　昊下ノ五オ

御髻《ミヅラ》　熱ノ十七オ

躬《ミツカラ》　将ノ二オ

三陵曰《ニ》白鳥陵　熱ノ十六オ

僉《ミナ》　将ノ廿四ウ

水门ノ口　昊上ノ八オ

南墓原　昊中ノ廿八オ

御馬飼内人　大〃ノ六十四オ　四十三オ

御碓　太ノ卅七ウ　卅八ウ
恩《ミウツクシミ》　太ノ八ウ
蓑笠　雑支下ノ十オ
三野ノ狐　昊中ノ八オ
見鷲　昊中ノ四十三オ
御櫛囊　太ノ十七オ
御櫛笥　豊ノ十三オ　太ノ卅三オ
御車築垣遣形懸遣　雑支下ノ卅九ウ
御厨　太ノ四十五オ

御倉　（太ノ五十五オ　雑叓下ノ十二ウ

風流　昊上ノ十八ウ

風流女　日　十八ウ

宮酢姫　熱ノ五オ

宮酢姫之宅　日　八ウ

名神　将ノ廿六ウ

屯倉　太ノ四十五ウオ

宮桂　古ノ七オ

宮桂太知立　豊ノ二オ

都《ミヤコ》　呉中ノ五ウ

美也礼波止保志　熱ノ十一ウ

明神　将ノ七ウ（熱ノ廿一オ

宮内人　雑言文上ノ十ウ

宮守物忌　大ノ十三オ廿六オ六十三ウ

美夜比登　宮人　古ノ九オ

深山祭弖　豊ノ廿一オ

水真利　大ノ六十三オ

三間名ノ干伎之氏　呉下ノ卅四ウ

三間名ノ于伎　吴下ノ廿三オ

御教書　将ノ十七ウ

御饌器　太ノ廿七ウ

御饌殿　（豊ノ二ウ五ウ六ウ
雑支上ノ六オ

御饌歌　豊ノ廿四オ　四十一オ

御笥作内人　太ノ廿九オ

御气立　豆　御食之　同　五十六ウ

御船代　（太ノ十九ウ
豊ノ十ウ　十一オ

御船代木　（豊ノ九ウ
太ノ十三ウ　十四ウ

御船内殿小綾帛御被　豊ノ十二ウ

御船殿　大ノ廿二ウ

御輿停殿　豊ノ三ウ

御輿宿殿　大ノ七オ八オ

美古麻知何多尓　熱ノ十一オ

幣帛　ミテグラ　昊上ノ五ウ

合巹　ミアヒマシニテ　熱ノ五オ

美阿良可　古ノ三オ

近習《ミサムラヒ》之人　熱ノ十二ウ

風声　三尤乎　旲上ノ十九オ

風《ミサヲ》　日　十九オ

氣調　弥佐乎　日　十九オ

御酒缶　大、ノ四十オウ

御酒田　雑夏上ノ四十三ウ

御枳根　大、ノ廿七ウ

御莪　日　四十一オ

言提　美々比支天　クキ師不留　旲下ノ二オ

短茵　大、ノ十三オ

御鹽焼物忌　（豊ノ六ウ　大ノ廿七オ
　大ノ六十三ウ

御正體　雑支上ノ十五オ　十六ウ

短御床　大ノ十五オ
　豊ノ十二オ

見志真岐賜志　豊ノ二オ

御塩湯所　雑支下ノ三オ

御塩殿　豊ノ廿ウ

御比良加　大ノ四十オ

御樋代　同十四ウ

之
磯　師　昊下ノ四十三ウ
銀四十斤　昊上ノ十八オ
白猴　昊下ノ廿七オ　廿六オ
白細布張　大ノ廿四オ
白狗《イヌ》　熱ノ九オ
白キ鹿　熱ノ八ウ
面上之粉《シロキモノ》　将ノ廿七ウ
銀櫛笥　大ノ廿四ウ

銀釘　大ノ十五ウ

銀師子　雑支丁ノ八オ

銀杵　大ノ廿四ウ

銀桶　同　廿四ウ

白布男衣　同　十八ウ

白布女衣　同　十八ウ

白酒黒酒　同　六十六オ

白裏細子　佛衣裏之　同　十七オ

柴枝皮上忽然化生弥勒𦬇像一　灵下ノ十一ウ

屢《シハ／＼》　将ノ十ウ

黙《シヽカレテ》　昊中ノ廿八オ

志尓　死之　佛ノ五ウ

志尓乃於保岐美　死王之言閻王　日　五ウ

塩坏　太ノ四十ウ

塩春　日　四十ウ

塩湯　太ノ四十七オ

萎《シボミ》　将ノ廿一ウ

彫《シボム》　日　八ウ

寃　シヘタク　将ノ十八ウ

嬖　師倍大ゝ計　昊中ノ八ウ

茵　大ゝノ六十三オウ

矢　糸土　昊下ノ四十七オ

志止ゝ鳥　古ノ十三オ

七大寺　将ノ廿六ウ

仕丁　雑支下ノ四ウ

七條袈裟　熱ノ十九ウ

斯利久迷縄　古ノ三ウ

却《シリゾケ》　将ノ廿二ウ
祥《ミ畄シ》　吴下ノ廿二ウ
惣家《シカシナカラ》　同　十四オ
屍骸　吴中ノ五ウ
諸國印鑑　将ノ廿ウ
諸教要集　吴下ノ四十四ウ
助督　太ノ四十五オ
下石根《ネ》宮桂太知立　豊二オ
下敷簀　同廿八オ

舌ゝ剪」善之銛銊　旲中ノ十三ウ

襪　（豊ノ十三オ 大ノ十七オ）

嘗」舌飲唾　旲中ノ九ウ

志都真利坐 奴　豊ノ二オ

倭文御裳　同 十三オ

志津加尓　熱ノ廿三オ

磯着　旲下ノ四十二ウ

志祢 稲之　雑支下ノ五十一ウ

閪 シナタリクホ　旲下ノ廿一オ

虱《シラミ》　昊下ノ十七ウ
新羅沙門道行　熱ノ十五オ
白玉磯着　昊下ノ四十二ウ
白鳥　熱ノ十五オ
白人古久弥　大ノ五オ
白羽 謂衣服　古ノ二ウ
白玉囊　大ノ十七オ
心柱　(大ノ十二ウ 豊ノ八オ 雑 夏下ノ卅四オ 卅六オ
神税　大ノ五十一オ

神田　太　四十六オウ

神郡司不レ可ニ宍食一　雑支上ノ十ウ

神宮ノ別當　熱ノ廿一ウ

新皇暗中ニ神鏑一　将ノ廿一オ

牸《メチシ》　吴上ノ廿三オ

詠《シノビ》　吴中ノ六ウ

詠《シノバシム》　吴上ノ十三オ

凌《シノキ》　同　十六オ

志乃波牟　将偲く　佛ノ二オ

正殿　豊ノ二ウ 三オ 五オ　雑変上ノ十五オウ 十六ウ

正殿心柱　大ノ十二ウ 豊ノ八オ

正殿[illegible]隠料　幕類　大ノ十一オ

正殿東西妻　口 十五オ　豊ノ十二オ

上番　大ノ四十八ウ 五十二オ

上世無文字老女口々相傳　古序ノ一オ

上机　豊ノ廿五オ 廿六オ

上板机　大ノ四十三ウ 四十四オ

正月十五日御粥　豊ノ廿七ウ

正月七日新蔬菜羹　豊ノ廿七ウ

正月朔白散斛稲　大ノ四十六ウ　四十八オ

常修多羅供銭　旲中ノ廿三ウ

聖武太上天皇生二于日本國一作レ寺作レ仏　旲上ノ十二ウ

社酒　大ノ五十九オ

上下之國　将ノ五オ

舎利二粒　旲中ノ卅六オ

聖徳　旲上ノ九オ

穿仙茶　旲下ノ四十八オ

勝鬘法花寺經疏　吴上ノ九オ

正税　吴下ノ卄五ウ

上宮皇　吴上ノ九オ

嶋子　将ノ七オ

嶋津神國津神　熱ノ七オ

嶋大臣　吴上ノ十ウ

暫《ミ万良久》　吴下ノ二オ

數《此万多》　吴中ノ六ウ

寺家　曰　廿六ウ

言提　師不留　旲下ノ二オ

舅　シフトヲ　旲下ノ九オ

坐　シキミヲ奈与久豆　旲上ノ十九オ

闡　自支弦　旲中ノ卅四ウ

荐　シキリニ　旲中ノ廿一オ

志伎麻伎　重播之　古ノ二オ

敷簀　太ノ六十三ウ

鋪設御倉　雑事下ノ十一オ

宿館屋　豊ノ四ウ五オ

画作宿僧形以之立的效射　呉中ノ四十二オ
修多羅分銭卅貫　日　廿八ウ
點《シ女天》　呉下ノ廿五オ
蠹《シミノムシ》　将ノ廿九ウ
師子　雑夏下ノ八オ
磯師　呉上ノ二ウ
肉團《シヽムラ》　呉下ノ廿二ウ
宍往斮鹿國　太ノ四オ
強《シヒテ》　呉中ノ卅九ウ

裾　シモト

志毋夜

下須蘓　裳裾之

（太ノ五十二オ
昊ノ十三オ
熱ノ十一オ
太ノ廿四ウ

恵

恵利都久　鐫ノ石之　佛ノ一ウ

雕　恵利　（吴中ノ卅一ウ　吴上ノ二ウ）

穿　アリ　吴上ノ十オ

画女生欲　吴中ノ十八ウ

嘲　恵都良可志　同　卅三オ

歌楽　ヱラギ　古ノ三ウ

雕　恵利　吴下ノ卅四ウ

画師越田安方　佛十ウ

繪師

昊上ノ廿三才

比

帊　大ノ廿三オ

挽《ヒイテ》　将ノ五ウ

斐波那知　放樋之　古ノ二オ

檜皮　蕢　大ノ七ウ

比珥波苔塢伽塢　熱ノ八オ

孤《ヒトリ》鈇者《クハ》暦日博士而已《ノミ》　将ノ廿六オ

囹圄《ヒトヤ》　昊中ノ廿八オ

人形　（豊ノ七ウ八オ）大ノ十一ウ　十二オ　卅九ウ

比登都麻都　熱ノ十三ウ

孤獨《ヒトリビト》　将ノ廿八オ

一語主大神　吴上ノ廿七ウ

人木墓　日　九ウ

人垣　大ノ十九ウ廿オ　豊ノ十四オウ

比止 人々　佛ノ一オ

比止乃微波衣加多久阿礼婆 人身難得之　佛ノ五オ

魁師《ヒトゴノカミ》　熱ノ七ウ

賊師《ヒーゴノカミ》　日　五ウ

賊首《ヒトコノカミ》　熱ノ七オ

比《ヒ》登《ト》尓《ニ》阿《ア》理《リ》勢《セ》波《バ》　同十三ウ

天骨《ヒトノナリ》　昊中ノ十七オ

等《ヒトシ》　将ノ六オ

單御裳　豊ノ十三オ

蒜　熱ノ九オ　昊中ノ卅一ウ

比可気　蘿蔔　古ノ三オ

比賀利　光之　佛ノ一ウ

比加祢　熱ノ十一ウ

比《ヒ》加《カ》弥《ミ》阿《ア》祢《ネ》古《コ》　熱ノ十一ウ

比《ビ》加《カ》礼《レ》　将ノ廿九オ

混　ヒタヽク　日卅四オ

比多加知　熱ノ十一ウ

繞　比多太　（吴下ノ六ウ　吴中ノ十六ウ

誕育　ヒタシマツル　古ノ六ウ

永　ヒタフル　日五オ

比礼　（大ノ十七オ　豊ノ十三オ

嚬　ヒソメ　将ノ廿一ウ

諱《ヒツカ》　昊中ノ廿二ウ

戩　比曽末ラ縁《エ》キ　日　八ウ

蹄《ヒヅメ》　将ノ廿ウ

未一點　雑事下ノ五十四オ

鵗《比ナノコ》　昊上ノ十六オ

比良加　太ノ四十オウ

平賀　豊ノ十二オ

平釘　豊ノ十二オ　太ノ十五オ

枚手　豊ノ廿オ

火打一枚《ヒラ》　熱ノ六オ

日ノ御䌛　古ノ三ウ　六十四オ

日折内人　大ノ四十オ　六十四オ

比乃美古　熱ノ十一オ

丙年之人故不焼黙地作冢壙以置之　呉下ノ廿三ウ

牽《ヒク》　将ノ廿九オ

腿《日久多》　呉下ノ廿八ウ

白散　大ノ四十六ウ　四十八オ

評督領　同　四十五ウ

白散沸酒　豊ノ廿七オ
柯 比巳江　呉下ノ十七ウ
比佐 膝之　太ノ五十六ウ
尚《ヒサ》　将ノ廿一ウ
比佐尓　熟ノ十一オ
淹《ヒサシク》　呉下ノ十三オ
比佐止保志　古ノ九オ
長跪《ヒザマツキテ》　呉中ノ卅三オ
袴世柄　豊ノ廿六ウ

比木　梼風之　太ノ六オ

引手　戸具之　日　六オ

燧　ヒキリの備手　吴中ノ廿六ウ

[illegible]　比木比止　吴下ノ廿三オ

比女靫　太ノ十八オ

樋代　日　十四ウ

樋代御装束　日　十六ウ

蛾　比々留　吴下ノ廿一オ

響　比ゝ支　吴上ノ二ウ

比臭伎
比毛立御裳
神籬
比茂侶伎　神籬之
碑文ノ柱

佛ノ一オ
太ノ廿四ウ
古ノ八オ　九オ
古ノ五ウ
昊上ノ五オ

毛

裳　太ノ廿三オ

年　モ　将ノ廿八オ

毛呂比止　諸人ヽ　佛ノ一オ

諸内人　太ノ十三オ

諸部神　モロトモノヲノカミ　古ノ二ウ

毛呂毛呂　諸〻　佛ノ一ウ

母《モ》幣《ヘ》流《ル》　熱ノ十一オ

侯　モトロカシテ　旻上ノ廿二ウ

戻　モトリ　　吴中ノ廿四オ
本結　モトユヒ　　豊ノ十三オ
太ノ廿三オ
本結糸　　太ノ廿四ウ
毛止米豆　求之　　佛ノ二ウ
啁　母和阿曽豆　　吴中ノ卅二オ
餅　　日　卅三オ
糯　モチ　　吴下ノ五ウ
糯ノ干飯舂篩　ヒタル　二斗　　日　四ウ
盌　モリ　　日　十六ウ

盛厳　（大、ノ八オ　豊ノ四オ）

花《モガラム》　将ノ十三ウ

候　毛良不　昊下ノ二オ

裙　毋乃　昊中ノ十九オ

債　毛乃、可比　（昊上ノ二ウ　昊下ノ廿五オ）

物忌　（大、ノ十二ウ　卅六ウ　六十三ウ　豊ノ六ウ　四ウ）

物忌父　（大ノ十三ウ　卌四オ　四十ウ　豊ノ五オ）

毛乃　物之　佛ノ五ナ

物忌父　豊ノ五オ

裳帯　古ノ六オ

目代　（雜支上ノ廿七オ卅三ウ四十一オ
（日下ノ廿五オ

毋屋　異中ノ廿五ウ

翫《モテアソブ》　將ノ卅ウ

文字　古序ノ一オ

毛比　豊ノ六オ

毛々志貴乃意保美也人　大ノ五十六ウ

百張蘋我乃國　日四オ

百船手度會國　日四オ

世

税　太ノ五十一オ

銭蔵　昊中ノ卅三ウ

銭器　日　卅四オ

背　セ那カ　昊下ノ廿一オ

背傴　世奈加久々世尓　日　廿三オ

千手像　昊中ノ四十四オ

窘　セムル　日　五ウ

銭稲出挙　昊下ノ廿三ウ

迫 世元 呉中ノ十五ウ

小窠錦被 大ノ十六ウ

小斤 呉下ノ廿九オ

小升 同　廿九オ

班 世満三持 同　卅七オ

埧像 呉中ノ廿六オ

攻 セメ 将ノ五ウ

迫 世米 呉中ノ卅七ウ

湶 世弥 同　廿二ウ

寿

簀《ス》　(豊ノ卅六ウ 卅八オ / 太ノ六十三オ

巣《ス》　昊上ノ十六オ

菅高宮　豊ノ五オ

菅神宮肆院行事　太ノ廿ウ

天皇城　昊下ノ四ウ

菅栽物忌　豊ノ七ウ八オウ廿ウ廿一オ廿四オ

菅蓋　太ノ廿三オ

菅笠　日 十六オ

須加流横刀　大ノ十八オ

癈　スタル　将ノ十五オ

簌　スダレ　昊下ノ十三オ

簾　スダレ　将ノ廿一オ

須穥　（大ノ廿四ウ 豊ノ十三オ 太ノ十七オ 廿三ウ）

襴　スソ　昊上ノ六ウ 日中ノ卌三オ

須都閑志　可弃之　佛ノ五オ

澳　スアドル　将ノ十六オ

須良々　尚之　佛ノ一ウ

出挙　旻下ノ廿四ウ　廿九オ

少彦名神経営天下療病之禁厭之法　古ノ四ウ

須久比　救之　佛一ウ

佐　スクレタリ　旻中ノ十九ウ

秀　須久礼尓多留　備伊豆尓多留　日　六ウ

澄　スマシ　旻上ノ二ウ

菅帯　将ノ二ウ

菅刺羽　大ノ十六オ　豊ノ十三オ

礎石嘘　須不　旻上ノ二ウ

主基　スキ　古ノ十二オ

須擬　互　熱ノ八オ

鋤　大ノ十三オ

鋤柄　昊上ノ八オ

皇孫　スメミマ　古ノ四ウ

菅御笠　豊ノ十三オ

棲　スミヤカ　昊中ノ卌一オ

遄　スミヤカニ　昊上ノ十五オ

寝　スミヌル　昊中ノ卌三オ

陶器　（太ノ十三オウ 十三オ　豊ノ七ウ 九オ）
陶器作内人　太ノ四十オ
陶酒坏　豊卅六ウ　太ノ六十三オ
陶水真利　（太ノ六十三オ　豊ノ卅六ウ）
居惣　ス恵ナカラ　呉中ノ卅三オ
統　須恵多利　呉下ノ卅四ウ
頭　数恵尓　日　廿四ウ
吸　スヒ　呉上ノ廿八ウ
嗅　スヒ　呉中ノ廿二ウ

濡　須ゝ支天　昊下ノ二オ

漱　すゝグ　昊中ノ四十オ

洒　スゝ支ヱ　昊中ノ卅三オ

生糸　大ノ卅四ウ　四十六ウ

生絶御帳　円　十六オ

生絶比礼　豊ノ十三オ

生絶女衣　太ノ十八オ

生絶御衣　豊ノ十二ウ

生絶男衣　大ノ十八オ

生絁御被　太ノ十六ウ

須々美　進也　佛　二オ

生絹御比礼　太　十七オ

生絁御裳　豊ノ十三オ

生絹蚊屋　太ノ廿五オ

生絹乃明衣　同　五十オ

生絁帳　同　十六オウ

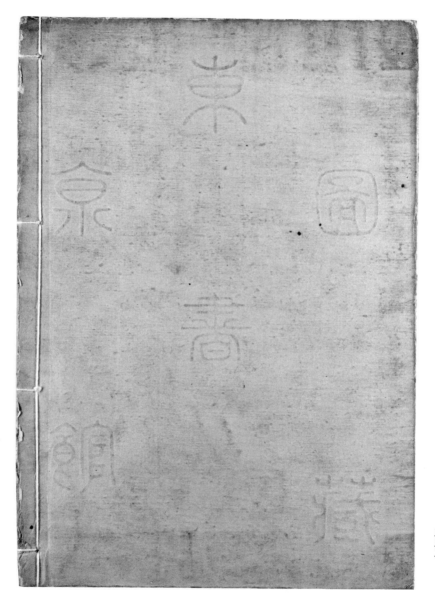

八部字類抄　下

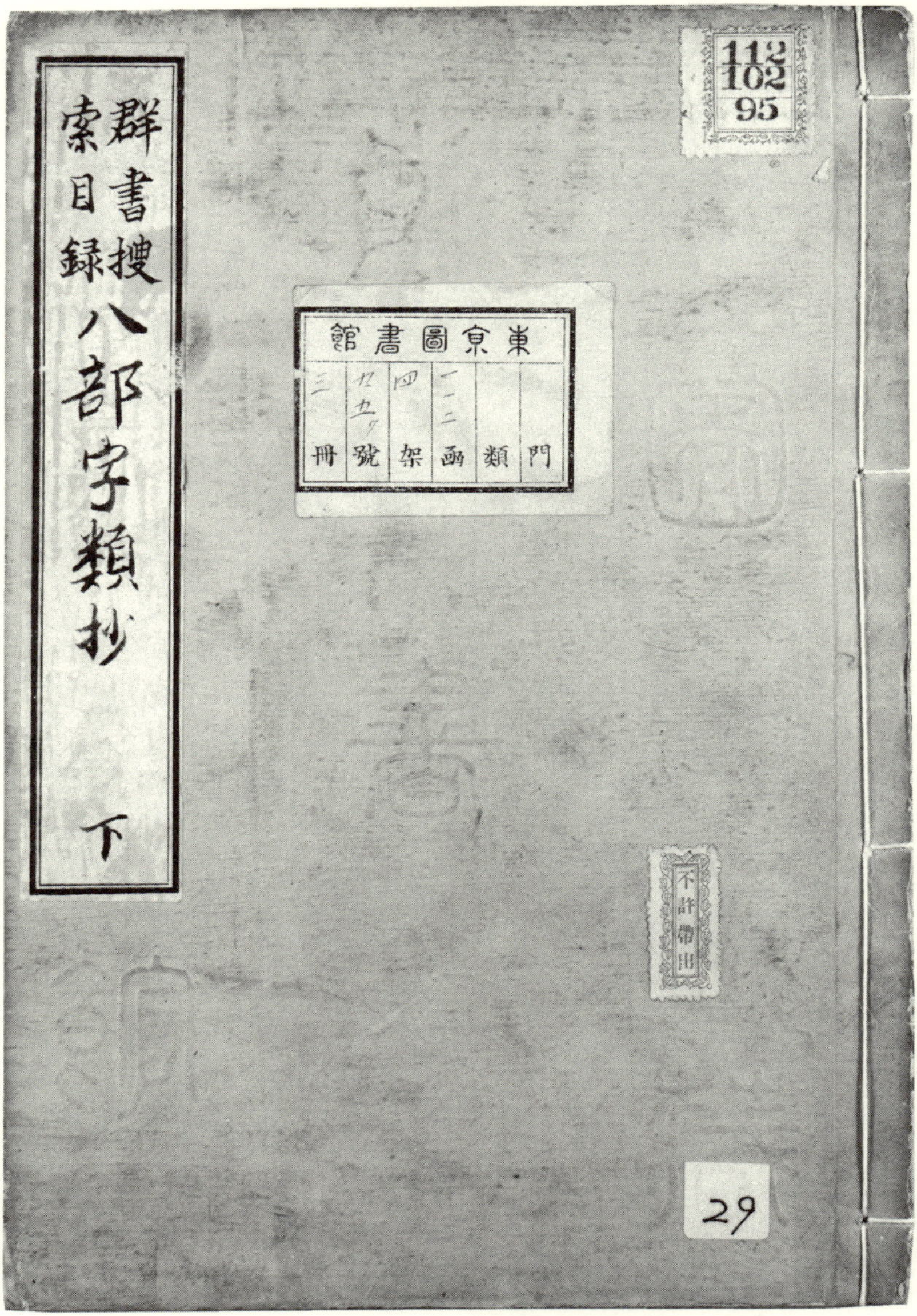
群書捜索目録 八部字類抄
下
112
102
95
東京圖書館
門 類 函 架 號 冊
不許帶出
29

八部字類抄

下

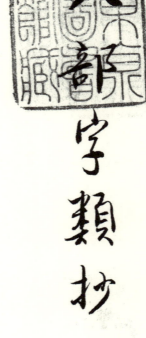

八部字類抄巻下
地名之部

伊
石畳
般若寺
般若田
磐田郡
磐田寺之塔
磐余譯語田ノ宮
伊波多岐嶋

雑支下ノ廿三ウ
吴上ノ四ウ
吴中ノ卅五ウ
日　卅六オ
吴上ノ六ウ
吴下ノ卅五オ

家田田上宮　太ノ四ウ

伊刀郡　呉中ノ十六ウ

市邊　呉下ノ十オ

市邊井上寺之里　日　九ウ

壹志藤方片樋宮　太ノ三ウ

櫟木本祭　豊ノ廿九オ

伊賀國造　太ノ四十五ウ

伊賀穴穂宮　日　三オ

伊我理神社　豊ノ十六ウ

伊賀國山田郡　旲中ノ十九オ
伊加津知神社　太ノ五十三オ
雷罡　旲上ノ五オ
イカルカ　同　九ウ
鵤聖德王宮　旲下ノ十八ウ
鵤ノ村　旲中ノ廿二ウ
鵤罡本宮　旲上ノ九オ
班鳩宮　同　十一ウ
伊豫國越智郡　同　廿ウ

伊豫國別郡　旲上ノ廿一オ
伊豫國神野郡　旲下ノ四十七ウ
板蓋宮　旲上ノ十五オ
磯部河　大ノ二ウ
磯宮　日　四オ
石上神宮　古ノ四オ
出雲國簸之川上　日　四オ
造齋宮　大ノ三オ
齋宮　伊勢　古ノ九オ

齋宮駅館院　雑支下ノ十八ウ
和泉國白根郡　吴中ノ廿六ウ
和泉國　同　十五ウ
和泉國泉郡　同　十八オ同　五ウ
泉國泉郡　同　四十一オ
和泉郡　同　十五ウ
泉郡　同五ウ十八オ四十一オ
和泉國大島郡　同　十一ウ
伊圖之島　吴上ノ廿七ウ

出石郡大社　但馬　大ノ九オ
伊奈婆　旻下ノ廿五オ
稲木川原　雑亥下ノ卅一オ
伊栗野　日　十三オ
生島之神　古ノ八オ
伊久良賀宮　太ノ三ウ
常羽《イクハ》ノ御廐　将廿五ウ　日七ウ
活目ノ陵　旻下ノ十七ウ
出馬山　旻中ノ十三ウ

生馬山寺　昊中ノ十四オ

伊介郷　雑支下ノ四ウ

膽吹山　古ノ九ウ

気吹山　熱ノ十二ウ十三オ十六オ

伊雑宮　太ノ廿一オ　廿五オ
雑支上ノ十三ウ十四オ

率川社　昊中ノ廿九オ

石田山　雑支上ノ卅オ卅一オ

石田　将ノ一オ

石島　太ノ二ウ

石川郡　昊上ノ廿六ウ

石井嵩　太ノ二オ

石井神社　同卅三オ

石井之営所　将ノ十一ウ

石鎚神　昊下ノ四十七ウ

石槌神　同　四十七ウ

伊志賀所見御厨　雑支下ノ十七ウ

石鴨村　同上ノ八ウ

飯岡　昊上ノ五オ

飯高下樋小河　太ノ二ウ
飯高駅　雑叓下ノ十三ウ四十五オ
飯野郡高宮村屯倉　太ノ四十五ウ
飯野高宮　日四オ
飯野郡磯部河　日二ウ
伊勢神宮忌詞　雑叓下ノ十三ウ四十五オ
伊勢桒名野代宮　太ノ三ウ
伊勢歌　豊ノ卌四オ四十一オ
伊勢新宮造替廿年一度　太ノ十ウ

伊勢沼木郷山田原　雑支上ノ二ウ

伊勢國飯高下樋小河　大ノ二ウ

伊勢大神　古ノ三ウ

伊勢相殿天手力雄神霊御形弓　大ノ二オ

伊勢相殿万幡豊秋津姫霊御形剱　大ノ二オ

伊勢國　大ノ三ウ

伊勢　熱ノ十三ウ

五十鈴河上之大山　大ノ二オウ

伊須々乃河上乃大宮　豊ノ二オ

五十鈴川上

五十鈴川上齋宮

古ノ六オ

同　九オ

呂

六所別當

雜支下ノ廿五ウ

波

治田郷　雜支下ノ四十一オ
榛《バイ》原神社　大ノ卅一オ
播磨國餝磨郡　呉上ノ十七オ
早部　同　廿一オ
濱中郷　呉下ノ卅七ウ
濱中　同　卅二ウ
榛原郡　（呉中ノ四十一ウ　呉下ノ卅八ウ
馳り水　熱ノ七オ

泊瀬ノ上山寺　吴下ノ七オ
坂東之國　熱ノ五ウ
服部堂　吴中ノ十九オ
埴村　吴下ノ廿二ウ
埴生里　同　卅七オ
秦ノ里　同　卅二ウ
波多ノ里　吴中ノ卅五オ

仁

西川原 大ノ四十ウ 五十四ウ
尓鳥墓村 日四十五オ
新川神社 日廿二ウ
錦山坂 志摩 日二ウ
仁嗜之濵中ノ村 呉下ノ廿二ウ
新治郡川曲村 将ノ三ウ
新治 日一ウ
珥比麼利 熱ノ八オ

保

法林寺	昊上ノ九ウ
堀越渡	将ノ八オ
法蓋山寺	昊上ノ廿六オ
渤海國	将ノ廿五オ
法城寺	日　十二オ
法花寺	昊下ノ卅九ウ
菩薩池	昊中ノ廿三オ

邉

平群郡

平群ノ駅ノ西方ニ有ニ小池ニ

戸嶋

吴中ノ廿二ウ

同　廿二ウ

大ノ四十六オ

止

等由気大神　豊二オ

豊受宮造代廿年一度　日六ウ

鳥見山　古八ウ

耽羅鮑　豊ノ卅七ウ

土賣屋社　日十七オ

豊受大神宮　雑支上ノ二ウ

豊葦原中國　古ノ四ウ五ウ

豊浦寺之跡　昊上ノ五オ

豊田郡　将ノ七ウ廿一オ九オ十八ウ

豊浦　呉上ノ十一オ

遠江里　呉下ノ十二ウ

遠江國榛原郡　呉中ノ四十一ウ呉下卅八オ

遠江國磐田郡　同卅五ウ

東大寺　（呉中ノ廿六ウ
呉下ノ廿九ウ

冨ノ尼寺　呉中ノ十四オ

砥鹿渕　雜支上ノ十ウ

豊國　呉上ノ十一オ

十市郡　旲中ノ廿七ウ
豊浦ノ寺　旲下ノ四十二ウ
取木　将ノ一オ
豊服郷　旲下ノ廿一オ
豊葦原水穗國　旲中ノ十二オ
トシノヲカハ　旲上ノ九ウ

知

茅原村

血渟ノ山寺

少懸郡

珍努ノ上ノ山寺

千阿《チクマ》川

旲上ノ廿七ウ

旲中ノ十八オ

将ノ十三ウ

旲中ノ四十一オ

将ノ十四オ

奴

沼木郷

滦部ノ里

（雑𡨚上ノ二ウ
豊ノ二オ
𡨚上ノ十八ウ

遠

小田橋　雑支下ノ廿ウ

小俣社　豊ノ十六ウ

小朕村　雑支下ノ四十五ウ

小島　大ノ二ウ

尾垂峯　大ノ二ウ

尾張國愛智郡　（熱ノ一オ　五オ）昊中ノ八オ

尾張國阿育知郡　昊上ノ六ウ

尾張國中島郡　昊中ノ卅二オ

越智郡　吴上ノ廿ウ
遠都能佐岐　熱ノ十三ウ
麻殖苑山寺　吴下廿三ウ
麻殖　同　廿二ウ
麻殖郡ノ阿波　古ノ七ウ
譯語田宮　吴上ノ六ウ
小墾田宮　同十一ウ十四ウ
岡堂　吴中ノ卅一ウ
小川市　同　八オ

小河郷　呉下ノ十ウ
小治田宮　呉上ノ五オ十三オ
罡本村　日九オ
罡本宮　日九オ
罡本尼寺　呉中ノ廿二ウ
罡崎之村　将ノ十一オ
山田郡　呉上ノ廿八ウ
尾津濵　熱ノ十三ウ
遠波理　日　十三ウ

小山宮
乎波理乃夜麻
嬢里

太ノ三オ
熱ノ十ウ
炅下ノ廿五オ

和

度會郡沼木郷山田原村　豊ノ二オ

度会郡継橋郷河原村　太ノ七十一ウ

度会郡宇治里五十鈴河上之太山　日 二オウ

度会郡神社廿二社　豊ノ十五ウ

度会宮　日二ウ

度会河　日廿一オ 廿六オ

度会川　太ノ七十ウ

度会川之浮橋舩　（雑支上ノ九ウ日下ノ九ウ 日下ノ四十六ウ四十七オ五十二オ）

度会之國都御神社　豊ノ十六オ
度会乃山田原　太ノ四十五オ
度会乃宇治乃伊須々乃河上乃大宮　豊ノ二オ
度会大國玉姫神社　豊ノ十六オ
度会國　太ノ四ウ
若江郡　旲中ノ卅五オ
別ノ郡　旲上ノ廿一オ
別ノ里　旲下ノ卅五ウ

加

海道　熱ノ八ウ

海部峯　吴下ノ九ウ

河内　将ノ十八ウ

河内國丹治比郡　吴下ノ廿ウ

河内國若江郡　吴中ノ卅五オ

河内國石川郡　吴上ノ十六ウ

河内國志紀郡　熱ノ十五ウ

河原村　伊勢　太ノ七十一ウ

川曲村　将ノ三ウ

川泒里　呉中ノ卅五オ

川原厳　太ノ八オ　五十六ウ　六十六ウ

川合渕　雑支下ノ卅五オ　四十オ

川原里　同上ノ廿四オ

川原渕社　豊ノ十六オ

川原神社　太ノ卅オ

川原社　豊ノ十六オ

川相神社　太ノ卅三オ

河曲　伊勢　太ノ三ウ
香取神　古ノ五オ
香取郡　将ノ四ウ
椒抄奥島　昊中ノ五オ
加努祢神社　太ノ卌三オ
輕諸越之衢　昊上ノ五オ
香川郡　昊中ノ廿一オ
懸神社　豊ノ十六ウ
堅田神社　太ノ卌九オ

片葹里　〔昊上ノ六ウ　昊中ノ卅二オ

片樋宮　大ノ三ウ

片縣郡　昊中ノ八オ

片罡村　昊上ノ九オ

片輪里　昊中ノ八オ

牧田浦濱　昊下ノ卅五ウ

方縣郡　同　卅四ウ

上総　熱ノ六ウ

上総國武射郡　将ノ四ウ　昊中ノ卅一オ

葛上郡　吴上ノ九ウ
葛木ノ尼寺　吴中ノ廿八オ
葛木上郡　吴上ノ廿一オ廿七ウ
葛木岑　吴上ノ廿七ウ
金刺宮　同五ウ
鉗田橋　雜支上ノ廿六ウ
辛前　吴中ノ廿八ウ
辛嶋道　將ノ八ウ
辛嶋之廣江　同　三十オ

辛嶋郡　将ノ八ウ
辛嶋郡之北山　日　卅ウ
神前　日　四ウ
神崎神社　太ノ廿九ウ
鹿海之前砥鹿淵　カウミノサキ　トカノフチ　雑支上ノ十ウ
蚊野神社　太ノ廿七オ
蚊屋社　日　五十三オ
草津川　旻中ノ卅二ウ
鐮輪之宿　将ノ廿オ

笠縫邑　大倭　古ノ九オ
加佐郡　昊上ノ十五ウ
上野　熱ノ八ウ
上毛野　将ノ十七ウ
橿原宮　古七オ
鹿島神　日五オ
甲斐　熱ノ八オ
甲斐酒折宮　日十一ウ
鴨里　昊中ノ六ウ

鴨下神社

鴨社

風神社

鵝鴨橋

太ノ卅二オ

同　廿六ウ

同　五十三オ

将ノ十二オ

與

吉野郡

吉野金峯

吉野山

吉野比蘇寺

吉田郡

昊中ノ卅一オウ

同卅オ　同下ノ五ウ

昊上ノ卅一オ同下ノ九ウ

昊上ノ十一オ

将　廿七ウ

太

太宮地神	豊ノ四十二オ
太神宮祢冝叙内位	雑支上ノ十六オ
太神宮廿年一度御遷宮	日下ノ二オ
太神宮廻神百廿四前	太ノ五十一オ
太神宮寺	雑支上ノ十三ウ十四ウ
大安寺南塔院	呉中ノ廿九ウ
大安寺太修多羅供銭	日　卅三ウ
大安寺之西里	日　廿八ウ卅三ウ

大安寺　旻下ノ七オ
大方郷　将ノ八オ
丹波國加佐郡　旻上ノ十五オ
丹波真井原　雜叓上ノ二ウ
丹波國比治乃真名井　豊ノ二オ
高河原社　日　十六オ
高千穂槵觸之峯　古ノ六オ
高宮村屯倉　太ノ四十五ウ
高宮　太ノ四オ

高宮止寺　呉上ノ九ウ

高國　太ノ四オ

高嶋郡　呉中ノ廿八ウ

高脚濵　呉上ノ十ウ

竹《タカ》原　呉下ノ卅ウ卅一オ

竹《タカ》ノ水門　熱ノ七オ

田上宮　太ノ四ウ

田上神社　豊ノ十六オ

田辺神社　太ノ廿七オ五十三オ

玉倉部之清泉　熱ノ十三ウ

田社　大ノ卅四オ

玉坂　旲下ノ廿二ウ

玉浦　熱ノ七オ

多麻郡　旲中ノ六ウ

多磨郡　日十五オ / 日下ノ十ウ

田町野浦　日下ノ廿八オ

高市郡　旲上ノ廿六オ / 日下ノ卅九オ

竹田乃國　大ノ四オ

多気佐々牟遮宮　太ノ四オ
答志郡伊雑宮　日廿一オ廿五オ
蓼原堂　炅下ノ十四オ
太宰府　炅下ノ卅八ウ
瀧祭社　太ノ五十三オ
瀧祭神社　太ノ廿六オ
瀧原宮　太ノ廿一ウ廿五オ卅一ウ
慥柄小川　雑支下ノ卅四ウ卅五ウ
但馬國出石郡大社　古ノ九ウ

竹河　雜変ノ十五ウ

曽

添上郡　（昊上ノ十六オ 廿四オ
（日中ノ廿五ウ

苑山寺　昊下ノ廿二ウ

蕤我乃國　大、四オ

薗相神社　日 廿六ウ 五十三オ

闘

筑紫　旲上ノ廿ウ
笠紫國府　旲下ノ廿二オ
筑破《ツクハ》　將ノ一ウ
筑波山　同九ウ
菟玖波　熱ノ八オ
桃花里　旲中ノ卌一オ
託磨郡之國分寺　旲下ノ廿一ウ
春米寺　旲上ノ廿六ウ

柘殖宮　大ノ三オ

継橋郷　伊勢　大ノ七一ウ

摂津國嶋下郡　旲上ノ廿六ウ

摂津國東生郡　旲中ノ八ウ

摂津國兎原郡　日十四ウ

綴喜郡　日四十オ

都魯鹿津　日廿八ウ

都久毛嶋　大ノ二ウ

継橋郷美乃々村　雑攴上ノ九オ

津布良神社　大〻卅二オ
津長大水神社　同廿八ウ
黄楊山嵩　同二オ
月讀宮　同廿ウ廿三ウ
月讀神社　豊十五ウ

祢
根倉

豊ノサニウ

奈

難波　昊中ノ十四ウ

難波之津　昊上ノ十四オ

難波津　熱ノ十九オ

難波之江　昊中ノ卅五オ

難波堀江　昊上ノ十一オ

難波百済寺　同　十九オ

難波長柄豊前宮　同　十八ウ　十五オ

成海《ナルミ》　熱ノ十一ウ

奈留美　日 十一ウ
奈留美者是宮酢姫所居之郷名　日 十一ウ
長罡宮㆓御宇大八嶋國㆒　旲下ノ卅三ウ
長罡宮　旲下ノ四十三ウ
長罡宮島町　日 四十三ウ
長瀬神社　熱ノ十四ウ
中嶋郡　旲中ノ卅二オ
長瀬　熱ノ十四ウ
奈何　将ノ廿七オ

奈良京	旲中ノ四十一オ　四十オ　十四オ 旲下ノ十四ウ
奈良山	旲上ノ十七ウ
奈羅京	旲中ノ卅三ウ
諾楽	旲上ノ一ウ
諾楽京	旲中ノ廿八オ 旲下ノ十四オ　十七ウ
諾楽宮	旲下ノ四十三ウ 旲上ノ卅一オ
諾楽京ノ東ノ山	旲中ノ廿六オ
諾楽京ノ東ノ市	同　廿四ウ
諾楽京馬遅ノ山寺	同　四十一ウ

諾楽左京九條二坊　昊中ノ四十四オ

諾楽左京六條五坊　日　廿八ウ

諾楽左京　日　十九オ

諾楽右京薬師寺　昊下ノ廿三オ

諾楽山　昊中ノ四十二ウ

楢原神社　太ノ卅ウ

平城宮野寺　昊下ノ卅九オ

南塔院　昊中ノ廿九ウ

名草院　紀伊　(昊中ノ卅六ウ　日下ノ卅三オ
日下ノ卅一ウ　卅七オ　四十四オ

那天堂　呉中ノ十オ

撫凹ノ村　同　八ウ

豆宮　大ノ廿一ウ　廿五オ

那自賣神社　同　卅三ウ

行方《ナメカタ》河内両郡　将ノ十八ウ

武

武蔵國多麻郡　昊中ノ六ウ

牟婁郡　昊下ノ四ウ六オ

牟祢乃神社　太ノ卅三ウ

武蔵　熱ノ八ウ

武蔵國多磨郡　昊中ノ十五オ

向穂寺　同　四十四オ

武射郡　同卅一オ　将ノ四ウ

陸渕岸　将ノ八ウ

宇

菟原郡　昊中ノ十四ウ

宇治家田田上宮　太ノ四ウ

宇治里　円二オ

宇治乃伊須々乃河上　豊ノ二オ

宇治橋　（昊上ノ十七ウ
昊中ノ十八ウ

宇治川　雑支下ノ一ウ廿ウ

宇治乃奴鬼神社　太ノ卅三オ

宇治山　雑支上ノ十二オ卅四ウ

宇治田　太ノ四十六オ
宇治山田神社　同　廿八ウ
宇治大川　同　廿六ウ　廿八ウ
宇治罡《オカ》　雜叓下ノ五十一オ
打懸社　豊ノ十六ウ
鵜田里　呉中ノ四十一ウ
鵜田堂　同　四十二オ
鵜垂郡　同　三十オ
宇太郡　呉上ノ十八ウ

宇太乃阿貴宮　大、ノ三オ

歌嶋　日ニウ

宇豆麻佐　太秦也　古ノ十オ

内津　熱ノ九ウ

畝田村　灵下ノ十八ウ十九オ

浦田加坂　雑叓下ノ五十一オ

浦田山　日上ノ五ウ六オ

鵜椋山嵩　志广　大、ノ二ウ

馬遅山寺　灵中ノ四十一ウ

駅家瀬　　雑吏下ノ卅五オ

棧橋　　将ノ廿六オ

牛島　　大ノ二ウ

宇須乃野社　　豊ノ十六オ

碓氷　　将ノ廿五オ

碓氷嶺《サカノウヘ》　　熱ノ八ウ

碓氷坂　　日　八ウ

井

井中社　豊ノ十六ウ

坐摩《井カスリ》　古ノ八オ

井庭神社　豊ノ十六オ

井上寺之里　昊下ノ九ウ

居醒《サメノ》泉　熱ノ十三ウ

乃

能應寺　呉下ノ卅三オ
能応村　日　卅三オ
能応寺之金堂　呉下ノ卅三ウ
能《ノ》褒《ボ》野《ノ》　熱ノ十五オ
能知瀬　日　十四ウ
野代宮　大、三ウ
野中堂　呉下ノ廿ウ
濃於寺　呉上ノ十七オ

野本

野依村

将ノ一オ

雑下ノ十ウ

於

大水神社　太ノ廿九オ

大津社　豊ノ十七オ

大島　太ノ二ウ

太間國生神社　豊ノ十五ウ

大奈保見神社　太ノ五十三オ

大河内社　豊ノ十六オ

太土神社　太ノ廿七ウ　廿八オ

忍飯高國　太ノ四オ

大牛草　地名之　雑支下ノ五十二オウ

大三輪神　古ノ四ウ

大神寺　昊下ノ廿一ウ

大野郡　昊上ノ五ウ

大山ノ里　昊下ノ卅オ

大井河　昊中ノ四十一ウ

大井ノ津　将廿六オ

大安殿　昊上ノ四ウ

大串　将ノ一オ

大谷堂　旲下ノ卅七ウ

奥國　同　八オ

大野郷　同　十九オ

大鳥郡　旲中ノ十一ウ

久

桑原之狹屋寺　昊中ノ十六ウ

鍬弓御麻生園　雑夏下ノ卅ウ

國津御祖社　大ヽノ廿八オ

國津社　日　卅二オ

倶留万川　雑夏上ノ十一ウ

栗栖院《クルスノ井ン》　将ノ七ウ

桒名野代宮　大ヽノ三ウ

元興寺　昊上ノ八オ　七ウ十七オウ
昊中ノ八オ四ウ

元興寺之村　呉中卅四ウ

官野寺　呉下ノ卅九オ

百済寺　呉上ノ十九オ

百済王奉王仁　古ノ九ウ

郡内川　雑支上ノ四十八オ

郡戸川原　日下ノ十二ウ

久具社　大ノ卅ウ

熊渕神社　日　卅三オ

久麻良比神社　日　廿八オ

熊野村　旲下ノ四ウ　六オ
熊野川　旲下ノ五オ
熊襲　熱一オ
草奈支神社　豊ノ十五ウ
草向國　大ヽノ四オ
久慈　将ノ廿七オ
槵《クシ》觸《フル》之峯　古六オ
櫛田川　雑支下ノ廿八ウ
頭城郡　旲中ノ十一ウ

噉代ノ里
楠見村
楠見

同 十九オ
昊下ノ 卅四ウ
同 四十四オ

也

矢羽田大神寺	旲下ノ廿一ウ
薬王寺	旲中ノ卅六ウ
薬師寺	旲下ノ十四ウ　旲上ノ一ウ
益津郡	熱ノ六オ
山田郡	旲中ノ十九オ卅オ
山田ノ原	(大ノ四十五オ 雑変上ノ二ウ
山田原村	豊ノ二オ
山田乃古川	雑変下ノ十ウ

山田河原　雑支下ノ十ウ

倭笠縫邑　古ノ九オ

山末社　豊ノ十六オ

山口神　太ノ五十一ウ

山里川原　伊勢　雑支上ノ七ウ

大和国城上郡大三輪神　古ノ四ウ

大和国葛木上郡　異上ノ廿七オ廿一オ

大和国山邊郡　異下ノ四十七オ

大和国十市郡　異中ノ卅七ウ

大和國添上郡　昊上ノ十六オ廿四オ中ノ廿五ウ
大和國宇太郡　昊上ノ十八ウ
大和國高市郡　昊下ノ卅五オ
大和國菟田郡　同　十二オ
大倭國葛上郡　昊上ノ九ウ
大倭國平群郡　昊中ノ廿二ウ
山背惠満之家　昊上ノ十七ウ
山背國紀伊郡　昊中ノ十七オ
山背　同　四十オ

山背國相樂郡　日十ウ廿三ウ
山背國　旲上ノ廿二オ
山道　熟ノ八ウ將ノ十四ク
山村ノ中ノ里　旲上ノ十六オ
山村里　旲中ノ廿五ウ
山代ノ宇治橋　日　廿八ウ
山辺郡　旲下ノ四十七オ
山部之坂　日　四十三オ
山階寺　日　廿七オ

山直ノ里　昊中ノ十五ウ
屋穴國里　昊下ノ卅ウ
屋穴國郷　同　卅ウ
焼津　熱　六オ
屋島　太ノ二ウ

末

真井原　丹波
真壁
真壁郡
町野浦
真木原山寺
松浦郡

雑岌上ノ二ウ
将ノ一ウ
将ノ九ウ
昊下ノ廿八オ
同　十三オ
同　廿八オ

計

羂索堂

毛野國

昊中ノ廿六ウ

将ノ五オ

不

豊前宮　昊上ノ十五オ　十八ウ

豊前國宇佐郡　昊下ノ廿一ウ

深津郡　日　卅オ

深津市　日　卅ウ　卅一ウ

府中　将ノ十九ウ

旧市邑　熱ノ十五ウ

冨岻巌　昊上ノ廿八オ

藤方片　樋宮　大ノ三ウ

布施里　雑支上ノ廿四オ

総國　上総下総之　古ノ七ウ

藤方宮　雑支上ノ一ウ

二見郷　同　六ウ　同下ノ四ウ

古

小朝熊神社　太ノ廿六オ

小社神社　日　卅二ウ

許母利神社　日　卅二ウ

骨島　旲上ノ十四オ

國分寺　（持ノ十三ウ
旲下ノ廿八オ

高麗寺　旲中ノ廿三ウ

琴弾ノ原　熱ノ十五ウ

越田池　旲下ノ十四オ

越部村之罡堂　昊中ノ廿一ウ

子飼之渡　將ノ七ウ

金鷲　昊中ノ廿六オ

興福寺　（昊上ノ十三ウ　日下ノ六オ）

江
江神社　太ノ廿九ウ
衣比原御厨　雑㕝下ノ四十八オ
蝦夷　熱ノ一オ
延興寺　昊上ノ廿二ウ
蝦夷之地　熱ノ七オ
驛舘院　雑㕝下ノ十八ウ

天

手島郡

昊下、六オ

安

愛智郡　熱ノ一オ　五オ　昊中ノ八オ

愛知郡　昊中ノ卅二オ

阿育知郡　昊上ノ六ウ

安房國者本上総國安房郡也　古ノ七ウ

安房國安房社　古ノ七ウ

安房郡　日七ウ

安房社　日七ウ

阿波國麻殖郡　日七ウ

阿婆良岐島　太ノ二ウ
粟袮子社　太ノ卅オ
粟國名方郡　旲下ノ廿二ウ
粟村　同　四十四オ
淡路國々分寺　同　廿八オ
阿倍山田之道　旲上ノ五オ
阿閇柘殖宮　太ノ三オ
味木里　旲上ノ廿六ウ
赤木嵩　太ノ二オ

熱田社　古ノ九ウ十一ウ　熱ノ十八ウ廿ウ

熱田大神　熱ゝノ一オ

淳見　吴下ノ卅五オ

吾妻國　熱ゝノ八ウ

穴穗宮　大ゝノ三オ

荒木田　日四十六オ

荒木田祢冝　雜叓上ノ二オ

荒祭宮　大ゝノ廿二ウ廿ウ

荒祭宮者第一別宮　雜叓上ノ四十四オ　日下ノ六オ　日下ノ七オ八オ卅六ウ

荒前神　大ノ卅三ウ
荒田村　昊下ノ十三オ
鹿香郷 紀伊　古ノ七オ 十二オ
菴知村　昊中ノ卅七ウ
阿牟村　日 卅七ウ
安濃國　大ノ三ウ
海部郡　(昊中ノ五オ 昊下ノ卅二ウ
(昊下ノ卅五オ卅七ウ
海部　昊下ノ卅二ウ
天香山　大ノ二ウ 三オ 四十二ウ

天忍井　雑支下ノ十九オウ

逢鹿瀬寺永為太神宮寺　同上ノ十二ウ　十四ウ

逢鹿瀬西小野　同上ノ十三ウ　十四ウ

逢鹿瀬川　同上ノ十五オ

渋海坂田宮　大ヽノ三ウ

近江田野州郡　昊下ノ廿六オ

近江田坂田郡　同　十一ウ

安諦郡　同　十三オ　廿七ウ

安諦　同　卅二ウ

朝熊嵩　太ノ二オ

麻生御浦　雜支下ノ十七ウ

呰鹿國　大ノ四オ

浅井郡　昊下ノ廿六ウ

阿貴宮　太ノ三オ

秋河　昊中ノ卅一オ

阿由知何多　熱ノ十一ウ

葦田竹原　昊下ノ卅ウ

葦田郡　同　卅オ

葦浦　熱ノ七オ

葦津ノ江　将ノ八ウ

葦原国　炅中ノ十二オ

足柄　将ノ廿五オ

葭原神社　大ノ卅二ウ

葦立足神社　同　四十三ウ

畔蒜郡　炅中ノ卅一オ

安宿郡　同　十一オ　同九オ

飛鳥川原板葺宮　炅上ノ十五オ

安宿郡

旲下ノ九オ

佐

西大寺八角塔　巻下ノ卅九ウ

讃岐國山田郡　巻中ノ卅オ

讃岐國美貴郡　巻下ノ廿八ウ

讃岐國香川郡　巻中ノ廿一オ

讃岐國調庸之外貢八百竿　古ノ七ウ

酒瀧嶋　太ノ二ウ

坂手神社　日廿一オ

坂田里　巻中ノ廿一オ

坂東諸國曰吾妻國　熱ノ八ウ
相模　同　六ウ
酒折宮　同十一ウ八ウ
相楽郡　昊中ノ十ウ廿三ウ
坂田宮　大ノ三ウ
狭田神社　同　廿一ウ
佐奈乃縣造　同　四オ
三韓始朝　古ノ九ウ
相馬郡　将ノ廿六オ

櫻村　昊中ノ卅六ウ
狭屋寺　日　十六ウ
狭《サヤ》眼《キ》山　将ノ十七オ
佐々牟逓宮　太ゝノ四オ
佐々波多宮　日　三オ
佐岐村　昊中ノ十七ウ
左京元興寺　昊下ノ廿オ
佐美長神社　太ゝノ廿五ウ　六十オ

幾

紀伊國日前神　古ノ三ウ

紀伊國名草郡御木麁香二郷　古ノ七オ　十二オ

紀伊國名草郡　（旻中ノ卅六ウ　旻下ノ四十四オ
日下ノ卅七オ　卅一オ　十八ウ　卅三オ

紀伊國海部郡　（旻中ノ五オ
日下ノ卅二ウ　卅五オ

紀伊國日高郡　旻下ノ卅五ウ

紀伊國牟婁郡　日　十三オ

紀伊國安諦郡　日　廿七ウ

紀伊國伊刀郡　旻中ノ十六ウ

紀伊郡　旲中ノ十七オ　十八オ
貴志寺　旲下ノ卅ウ
貴志ノ里　日　卅一ウ
金峯　(旲上ノ廿七ウ　日中ノ卅一オ　日下ノ五ウ
吉備郷　旲下ノ廿七ウ
清野井庭神社　豊一ノ十六オ
城田郷石鴨村　雑支上ノ八ウ

由

湯田社　太ノ廿七ウ

湯田片岸　雑支下ノ五十一ウ

結城郡　下総　将ノ十二オ　古ノ七ウ

弓袋之山　将ノ九ウ

萕《ユサ》前《キノ》津　日四ノウ

美

美和乃御諸原　太ノ三オ
美和乃御諸宮　同　三オ
雄嶋　同　二オ
御船神社　大ノ卅一オ
水戸御食都神社　豊ノ十六オ
御瀬川　雑変上ノ廿六オ
御竈嶋　大ノ廿六ウ
美濃伊久良賀宮　同　三ウ

御諸宮　大ノ三オ
御諸原　同　三オ
御谷之里　旲中ノ十九オ
三谷郡　旲上ノ十三ウ
三谷寺　同　十四オ
弥勒寺　旲下ノ卅三オ
三木寺　同　廿九ウ
御上嶺有㆓神社㆒名曰㆓陁我大神㆒　旲下ノ廿六ウ
三野國大野郡　旲上ノ五ウ

宮子郡　昊上ノ廿九オ
三上村　昊中ノ卅六ウ
水野郷　昊下ノ卅四ウ
御馬河里　同　十七オ
美乃國方縣郡　同　卅四ウ
美貴郡　同　廿八ウ
水守　将ノ四ウ

志

志婆場　太ノ二ウ

蔀野井庭神社　豊ノ十六オ

志等美社　同　十六ウ

七美郡　昊上ノ十五オ

尻瀬川　雑支下ノ卅五オ

餝磨郡　昊上ノ十七オ

磯鹿辛前　昊中ノ廿八ウ

志多備乃國　太ノ四オ

下樋小河　太ノ二ウ
信濃　熱ノ八ウ
信濃國小縣郡　旲下ノ廿五オ
信濃坂　熱ノ九オ
信濃國小縣郡　将ノ十三ウ
白鳥陵　熱ノ十六オ
尽恵寺　旲中ノ廿七オ
深長寺　日　十八オ
神國　雑夏上ノ八オ

修学院　雑要下ノ四十一ウ

篠城　熱ノ九オ

嶋下ノ郡　呉上ノ廿六ウ

嶋町　呉下ノ四十三ウ

志摩国答志郡伊雑宮　大ノ廿一オ　廿五オ

志摩国鵜椋山高　日　二ウ

志摩国伊志賀所見御厨　雑要下ノ十七ウ

信天原山寺　呉下ノ九オ

志貴御薗　雑要下ノ十七オ

神宮寺停止　雑叓上ノ十五オ

磯城神籬　古ノ九オ

磯城嶋金刺宮　旻上ノ五ウ

志紀郡　熱ノ十五ウ

磯城嶋村　旻下ノ四十七オ

下野之府　將ノ十四ウ

下総結城郡　古ノ七ウ

下総国香取神　日　丞オ

下総国香取郡　將ノ四ウ

下総国豊田郡　将ノ七ウ　十八ウ　廿四ウ
下毛野　同　十七ウ
下毛野国　同　五オ
下毛野ノ寺　吴中ノ卅オ　同　四十一オ
下痛脚村　同　十五ウ
磯鹿辛前　同　廿八ウ

惠

越後國頸城郡

越前國加賀郡

惠満之家

殖槐村

昊中ノ十一ウ

昊ノ十六ウ十八ウ十九オ

昊上ノ十七ウ

昊中ノ卅八ウ

比

比奈多嶋　夲ノ二ウ

樋手渕　雑支下ノ卅五オ

常陸國鹿島神　古ノ五オ

常陸　熱ノ八オ

常陸國信太郡　将ノ四ウ

備中國廿田郡　昊上ノ廿八ウ

火上邑　熱ノ五オ

日前神　古ノ三ウ

常陸國真壁郡　将ノ九ウ
比企郡　同　十七オ
東生郡　昊中ノ八ウ
火上姉子神社　熱ノ十二オ
比多加知　同　十一ウ
日根郡　昊中ノ廿六ウ
備後國葦田郡　昊下ノ卅オ
東市　昊中ノ廿四ウ
備後國三谷郡　昊上ノ十三ウ

肥前國松浦郡　吴下ノ卅八オ
簸ノ河　熱ノ十七ウ
比蘓寺　吴上ノ十一オ
日高郡　吴下ノ卅五ウ　卅七ウ
蒜間之江　将ノ廿七ウ
東ノ山　吴中ノ廿六オ
日高見ノ國　熱ノ七ウ
簸河上　日十六オ　古ノ四オ
火上姉子ノ天神　熱ノ廿ウ

火上邑　熱ノ廿ウ

比治乃真奈井　豊ノ二オ

廣瀬之家　旻上ノ卅一オ

肥前國佐賀郡　旻下ノ廿二オ

肥後國八代郡　同　廿一オ

毛

毛理社
諸越之衢
守部山

豊ノ十六ウ
昊ノ五オ
日　九ウ

世
勢多寺
千手院

旲中ノ卅六ウ
日　四十四ウ

す

住吉大神　古ノ九ウ
鋤田寺　呉中ノ十一オ
駿河　熱ノ五ウ
鈴河駅家　雜支下ノ卅三ウ
鈴鹿山　（雜支下ノ一オ／熱ノ十四ウ）
鈴鹿川　雜支下ノ十三ウ
鈴河山　熱ノ十四ウ
鈴鹿小山宮　太ノ三ウ

鈴鹿國

太ノ三ウ

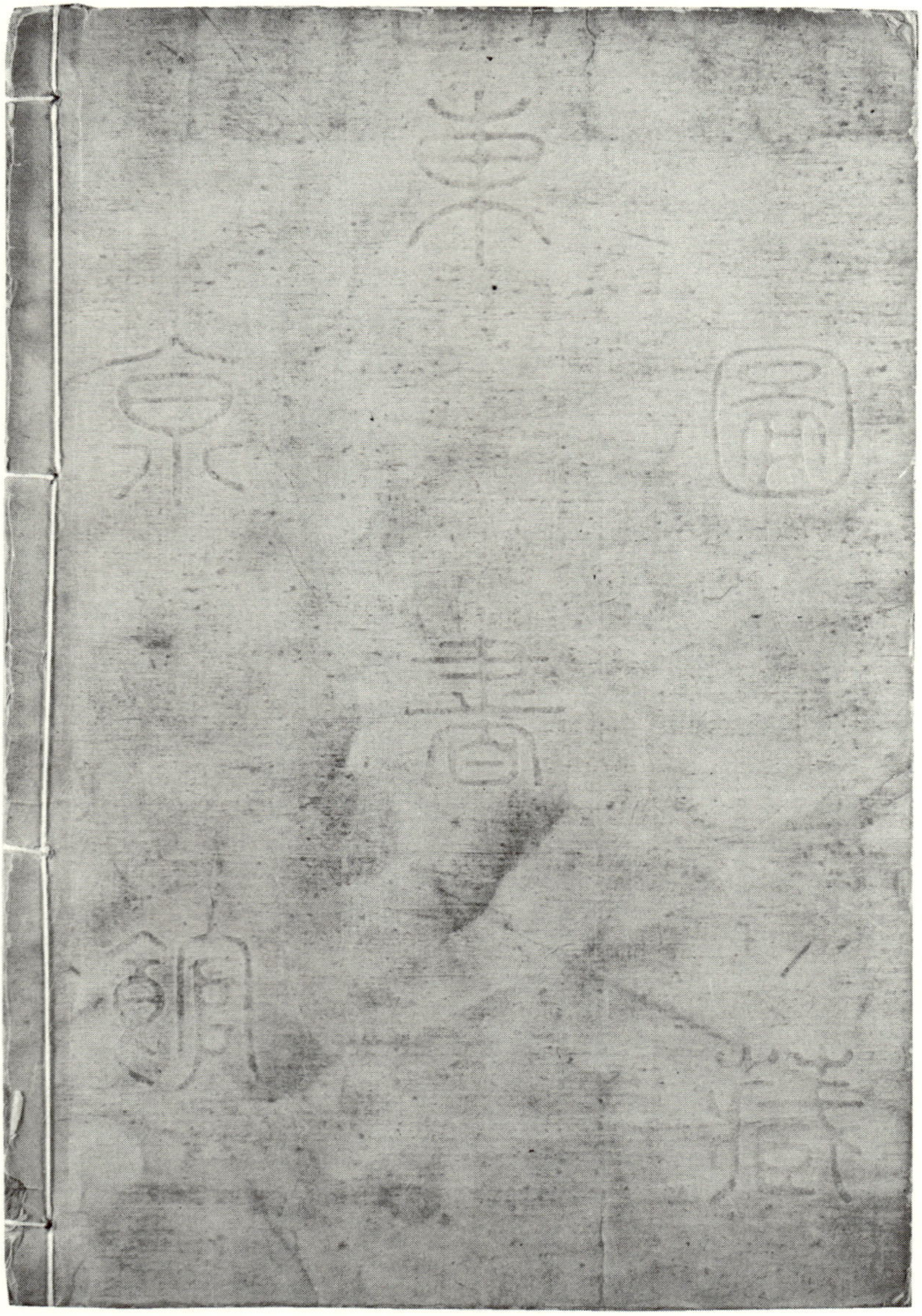

【監修・解題】

梅田　径（うめだ・けい）

1984年生まれ。2016年早稲田大学文学研究科日本語日本文学コース満期退学。現在、帝京大学文学部日本文化学科講師。博士（文学）。

〈単著〉『六条藤家歌学書の生成と伝流』（勉誠出版、2019年）。『翻刻　松屋外集　巻一』（オリンピア印刷、2023年）。『翻刻松屋外集　巻二』（オリンピア印刷、2024年）。

〈論文等〉「野田忠粛『夜夢想』翻刻と解題」（『古代中世文学論考』54、新典社、2024年）。「和歌初学者へのまなざし―院政期歌学の認識とその背景―」（『緑岡詞林』48、2024年３月）。「『野田の足穂』の翻刻と解題」（『汲古』83、2023年６月）。『日露戦争と軍人の風流―『風俗画報』「征露図会」特集号における「韜略の余事」をめぐって―』（『戦争と萬葉集』5、2023年３月）。「小山田与清の子息をめぐって―与叔と清年と蔵書の関係―」（『青山語文』53、2023年３月）。「小山田与清旧蔵書のゆくえ 附〈翻刻〉早稲田大学図書館蔵『明治四拾年六月調 高田氏寄託図書目録』（『緑岡詞林』46、2022年３月）。「秘伝の行く末―歌学秘伝における思想の伝播と権威のメカニクス」（『ユリイカ 詩と批評』52－15、青土社、2020年11月）。

書誌書目シリーズ126
『諸字類集成《しょじるいしゅうせい》』
小山田与清《おやまだともきよ》『群書捜索目録《ぐんしょそうさくもくろく》』Ⅴ　第二巻

二〇二五年一月　十七日　印刷
二〇二五年一月三十一日　発行

監修・解題　梅田《うめだ》　径《けい》
発行者　鈴木一行
発行所　株式会社ゆまに書房
〒一〇一―〇〇四七
東京都千代田区内神田二―七―六
電話〇三（五二九六）〇四九一（代表）
印刷　株式会社平河工業社
製本　東和製本株式会社
組版　有限会社ぷりんてぃあ第二

本体18,000円＋税

ISBN978-4-8433-6895-4 C3300